KU-022-392

Für Lettice

Viele Menschen haben mir beim Schreiben
dieses Buches geholfen.
Besonders danken möchte ich Clare und Rosalind,
Sebastian und Horatio,
Jim Hindson (Tierchirurg), Albert Weeks,
Wilfred Ellis und Captain Budgett (die beide inzwischen
verstorben sind) – sowie allen drei Achtzigjährigen
in der Gemeinde Iddesleigh.

Vorbemerkung des Autors

In dem alten Schulraum, der heute als Gemeindesaal dient, zeigt die Uhr immer auf eine Minute nach zehn. Darunter hängt das kleine verstaubte Gemälde eines Pferdes. Es ist ein prächtiger Fuchswallach mit einem auffälligen weißen Stern auf der Stirn und mit vier tadellos zueinander passenden weißen Socken. Versonnen schaut er uns an, die Ohren gespitzt, den Kopf zur Seite gewandt, als ob er uns gerade bemerkt hätte.

Für viele, die womöglich nur einen beiläufigen Blick auf ihn werfen, etwa wenn im Saal eine Gemeindeversammlung stattfindet, eine Erntedankfeier oder eine gemütliche Abendveranstaltung, ist es vielleicht nur ein matt gewordenes altes Ölbild eines unbekannten Pferdes, das ein begabter anonymer Künstler gemalt hat. Ihnen ist das Bild so vertraut, dass es kaum Aufmerksamkeit mehr gebietet. Doch wer genauer hinsieht, kann die verblasste schwarze Schrift auf der Kupferplatte unten am Rahmen lesen:

Joey.
Gemalt von Captain James Nicholls,
Herbst 1914.

Manche im Dorf – jetzt sind es nur noch wenige und mit den Jahren werden es immer weniger werden – erinnern sich noch an den wirklichen Joey. Seine Geschichte sei hier niedergeschrieben, damit weder er noch jene, die ihn kannten, vergessen werden, und auch nicht der Krieg, den sie erlebten und in dem sie starben.

Gefährten

© Carlsen Verlag

Michael Morpurgo, 1943 in London geboren, ist Autor von über 90 Büchern, von denen viele preisgekrönt sind. Er wurde 2003 für sein außergewöhnliches literarisches Schaffen zum Children's Laureate in England nominiert.

Michael Morpurgo arbeitete lange Zeit als Lehrer, bevor er zusammen mit seiner Frau das Projekt »Bauernhöfe für Stadtkinder« ins Leben rief. Heute existieren drei dieser Bauernhöfe, auf denen Stadtkinder das Landleben erfahren können. Michael Morpurgo hat selbst drei Kinder und mehrere Enkelkinder und lebt mit seiner Frau im englischen Devon.

Michael Morpurgo

Gefährten

Aus dem Englischen von Klaus Fritz

Mit Filmbildern

Außerdem von Michael Morpurgo im Carlsen Verlag erschienen:
Freund oder Feind

Veröffentlicht im Carlsen Verlag
Oktober 2013
Die englische Originalausgabe wurde erstmals 1982 unter dem Titel
»War Horse« veröffentlicht, bei Egmont UK Limited,
1 Nicholas Road, London W11 4AN
Text copyright © Michael Morpurgo 1982
All rights reserved
The author has asserted his moral rights
Bei Carlsen vormals unter dem Titel »Schicksalsgefährten« erschienen.
Copyright © der deutschsprachigen Ausgaben:
2004, 2012, 2013 Carlsen Verlag GmbH, Hamburg
Umschlagbild: Stage Entertainment
Umschlaggestaltung: formlabor
Corporate Design Taschenbuch: bell étage
Gesetzt aus der Galliard von Dörlemann Satz, Lemförde
Druck und Bindung: GGP Media GmbH, Pößneck
ISBN 978-3-551-31379-9
Printed in Germany

Alle Bücher im Internet: www.carlsen.de

Kapitel 1

Meine ersten verschwommenen Erinnerungen kreisen um hügelige Felder und dunkle feuchte Ställe, in denen Ratten an den Dachsparren über meinem Kopf entlanghuschen. Aber den Tag der Pferdeauktion sehe ich noch klar vor Augen. Die furchtbare Angst von damals hat mich mein Leben lang nicht mehr losgelassen.

Ich war noch keine sechs Monate alt, ein schlaksiges, langbeiniges Fohlen, und hatte mich nie mehr als ein paar Meter von meiner Mutter entfernt. An diesem Tag, in dem schrecklichen Durcheinander des Vorführrings, wurden wir voneinander getrennt und ich sollte sie nie mehr wiedersehen. Sie war ein gutes Arbeitspferd, schon etwas in die Jahre gekommen, doch ihre Vorder- und Hinterhand zeigten deutlich, dass sie die Kraft und Ausdauer eines Irish Draught besaß. Nach wenigen Minuten war sie verkauft, und ehe ich ihr durch das Gatter folgen konnte, hatte man sie schon aus dem Ring gescheucht und weggeführt. Mich zu verkaufen war wohl etwas schwieriger. Vielleicht lag es an meinem wilden Blick, mit dem ich auf der verzweifelten Suche nach meiner Mutter im Ring umherlief, vielleicht lag es auch daran, dass keiner der Bauern und Zigeuner, die dort waren, nach einem spindeldürren Halbblutfohlen suchte. Aus welchem Grund auch immer, sie feilschten lange meinen Preis herunter, bis ich dann den Hammer hörte und man mich durch das Gatter nach draußen in einen Verschlag trieb.

»Nicht übel für drei Guineen. Stimmt's, mein kleiner Hitzkopf? Gar nicht so übel.« Die Stimme war rau und schwer vom Schnaps und sie gehörte ganz offenbar meinem neuen Besitzer. Ich werde ihn nicht meinen Herrn nennen, denn es gibt nur einen Menschen, der je mein Herr war. Mein Besitzer kam mit einem Strick in den Verschlag geklettert, gefolgt von drei oder vier seiner rotgesichtigen Freunde. Jeder hielt einen Strick in der Hand. Hüte und Jacken hatten sie abgelegt und nun rollten sie die Ärmel hoch; sie lachten, während sie auf mich zukamen. Bis dahin hatte mich noch kein Mensch berührt und ich wich vor ihnen zurück, bis ich die Bretterwand hinter mir spürte und nicht mehr weiterkonnte. Mir kam es vor, als stürzten sich alle zugleich auf mich, doch sie waren träge und ich konnte an ihnen vorbeihuschen und mich ihnen in der Mitte des Verschlags erneut entgegenstellen. Jetzt war ihr Lachen verstummt. Ich schrie nach meiner Mutter und hörte aus weiter Ferne ihre Antwort. Dort wollte ich hin und ich stürmte los, rannte gegen die Bretter und sprang halb darüber, so dass ich mein rechtes Vorderbein einklemmte und bald in der Falle saß. Sie packten mich grob an der Mähne und am Schweif und ich spürte, wie ein Strick sich immer enger um meinen Hals schlang, ehe sie mich zu Boden warfen und dort festhielten. Ein Mann schien auf jedem Teil meines Körpers zu sitzen. Ich kämpfte bis zur Erschöpfung, schlug jedes Mal heftig aus, wenn ich spürte, dass sie ihren Griff lockerten, aber es waren zu viele und sie waren zu stark für mich. Ich spürte, wie das Halfter über meinen Kopf gezogen und um meinen Hals und mein Gesicht gezurrt wurde.

»Bist also ein ganz ordentlicher Kämpfer, was?«, sagte mein Besitzer, zurrte den Strick noch fester und grinste mit zusammengebissenen Zähnen. »So 'nen Kämpfer hab ich gern. Aber ich werd dich schon irgendwie weich kriegen. Bist vielleicht ein kleiner Kampfhahn, aber bald frisst du mir aus der Hand, das geht mir nichts, dir nichts.«

Er hatte mich mit kurzem Strick hinten an seinen Bauernkarren gebunden und zog mich über die Landstraße, so dass ich mir bei jedem Schlenker und jeder Biegung den Hals verzerrte. Als wir den Weg zum Gehöft erreicht hatten und über die Brücke zu den Ställen rumpelten, die mein Zuhause werden sollten, war ich nass geschwitzt vor Erschöpfung und das Halfter hatte mir das Gesicht wund gescheuert. Während ich an jenem ersten Abend in den Stall getrieben wurde, tröstete mich nur der Gedanke, dass ich nicht allein war. Die alte Stute, die den Karren den ganzen Weg vom Markt zurück gezogen hatte, wurde in die Box neben mir geführt. Beim Hineingehen blieb sie stehen, blickte zu mir herüber und wieherte freundlich. Ich wollte gerade von der Rückwand meiner Box herbeispringen, da ließ mein neuer Besitzer die Peitsche mit einem bösen Hieb auf ihre Flanke knallen und ich scheute zurück und drückte mich wieder hinten in der Ecke an die Wand. »Rein mit dir, du alte Schindmähre«, brüllte er. »Bist 'ne regelrechte Plage, Zoey! Bring diesem Jungen da bloß nicht deine alten Finten bei.« Doch in diesem kurzen Moment hatte ich einen Anflug von Zuneigung und Mitleid bei der alten Stute gespürt, die mich beruhigten und mein Gemüt beschwichtigten.

Da stand ich nun, ohne Wasser und Futter, während der Mann über das Pflaster zum Haus stolperte. Ich hörte Türen schlagen und laute Rufe, dann kamen hastige Schritte über den Hof zurück und aufgeregte Stimmen näherten sich. Zwei Köpfe erschienen an meiner Tür. Der eine gehörte einem Jungen, der mich lange und gründlich musterte, bis sich schließlich ein strahlendes Lächeln auf seinem Gesicht ausbreitete. »Mutter«, sagte er entschieden, »das wird mal ein wunderbares und tapferes Pferd. Schau nur, wie der seinen Kopf hält.« Und dann fügte er hinzu: »Sieh ihn dir an, Mutter, er ist nass bis auf die Haut. Ich muss ihn abreiben.«

»Aber dein Vater hat gesagt, du sollst ihn in Ruhe lassen, Albert«, erwiderte die Mutter des Jungen. »Das würde ihm guttun, wenn man ihn allein lässt. Du sollst ihn nicht anrühren.«

»Mutter«, sagte Albert und schob den Riegel an der Tür

der Box zurück, »wenn Vater betrunken ist, weiß er nicht, was er sagt und was er tut. An Markttagen ist er immer betrunken. Du hast mich oft genug gewarnt, dass ich nicht auf ihn achten soll, wenn er so ist. Du fütterst die alte Zoey, Mutter, und ich kümmer mich um diesen hier. Ist er nicht großartig? Er ist beinah rot, einen Fuchs würde man ihn wohl nennen, nicht wahr? Und dieser Stern auf seiner Stirn ist wunderschön. Hast du je ein Pferd mit so einem weißen Stern gesehen? Ist das nicht unglaublich? Ich will dieses Pferd reiten, wenn es mal so weit ist. Dann reite ich mit ihm überallhin und es wird alle anderen Pferde in den Schatten stellen, in der Gemeinde und im ganzen Land.«

»Du bist doch gerade mal dreizehn, Albert«, sagte seine Mutter von der Nachbarbox her. »Er ist zu jung und du bist auch noch zu jung, und außerdem sagt Vater, du sollst die Hände von ihm lassen. Komm bloß nicht zu mir, um dich auszuheulen, wenn er dich im Stall erwischt.«

»Aber warum zum Teufel hat er ihn dann gekauft, Mutter?«, fragte Albert. »Er wollte doch ein Kalb, oder? Deshalb ist er auf den Markt gegangen. Ein Kalb, das die alte Celandine säugen kann.«

»Das weiß ich, Schatz, aber wenn dein Vater betrunken ist, dann ist er nicht mehr er selbst«, sagte seine Mutter leise. »Er meint, Bauer Easton hätte für das Pferd mitgeboten, und du weißt, was er nach dem Streit wegen dem Zaun neulich von diesem Mann hält. Wahrscheinlich hat er das Pferd nur gekauft, um ihm eins auszuwischen. Mir kommt es jedenfalls so vor.«

»Also ich bin froh drüber«, sagte Albert, zog sich die Jacke aus und ging langsam auf mich zu. »Betrunken oder nicht, das ist das Beste, was er je getan hat.«

»Sprich nicht so über deinen Vater, Albert. Er hat viel durchgemacht. Das ist nicht recht«, erwiderte seine Mutter. Doch sie klang nicht überzeugt.

Albert war ungefähr so groß wie ich, und während er näher kam, sprach er sanfte Worte, die mich sofort beruhigten und auch ein wenig umgarnten, und so blieb ich an meinem Platz an der Wand stehen. Als er mich berührte, zuckte ich zusammen, aber ich merkte gleich, dass er mir nichts Böses wollte. Er striegelte mir erst den Rücken und dann den Hals und sprach dabei ständig darüber, was für eine tolle Zeit wir zusammen erleben würden, dass ich später einmal das klügste Pferd auf der ganzen Welt sein würde und dass wir zusammen auf die Jagd gehen würden. Nach einer Weile begann er mich sanft mit seiner Jacke abzureiben. Er rieb mich, bis ich trocken war, und tupfte dann Salzwasser auf die wund gescheuerten Stellen in meinem Gesicht. Er brachte mir ein Büschel süßes Heu und einen Eimer voll kühlem, klarem Wasser. Während der ganzen Zeit redete er ununterbrochen. Als er sich dann umdrehte und den Stall verlassen wollte, wieherte ich laut, um ihm zu danken, und offenbar verstand er mich, denn er lächelte breit und streichelte mir über die Nase.

»Wir kommen schon miteinander klar, wir beide«, sagte er sanft. »Ich nenn dich Joey, weil es sich auf Zoey reimt, und außerdem vielleicht auch, weil es zu dir passt. Ich bin morgen früh wieder hier – und mach dir keine Sorgen, ich kümmer mich um dich. Das versprech ich dir. Träum süß, Joey.«

»Du sollst nicht zu den Pferden reden, Albert«, sagte seine Mutter von draußen. »Die verstehen dich doch nicht. Das sind dumme Geschöpfe. Stur und dumm, wie dein Vater immer sagt, und der hat sein ganzes Leben lang mit Pferden zu tun gehabt.«

»Vater versteht sie einfach nicht«, sagte Albert. »Ich glaub, er hat Angst vor ihnen.«

Ich lief hinüber zur Tür und sah zu, wie Albert und seine Mutter in die Dunkelheit davongingen. In diesem Moment wusste ich, dass ich einen Freund fürs Leben gefunden hatte, ich spürte, dass wir tief verbunden waren, uns vertrauten und einander mochten. Die alte Zoey neben mir streckte den Kopf über die Boxentür zu mir herüber, aber wir schafften es nicht ganz, uns mit den Nasen zu berühren.

Kapitel 2

Während der langen harten Winter und der dunstigen Sommer der nächsten Jahre wuchsen Albert und ich gemeinsam auf. Ein Jährling und ein junger Mann sind beide ein wenig linkisch und unbeholfen und sich auch sonst in vielem ähnlich.

Wenn er nicht in der Dorfschule war oder mit seinem Vater auf dem Hof arbeitete, führte er mich immer hinaus auf die Felder und über das flache, distelbewachsene Marschland des Flusses Torridge. Hier draußen, auf dem einzigen ebenen Gelände des Anwesens, begann er mit meiner Ausbildung. Er ließ mich einfach auf und ab gehen und traben und longierte mich später erst in die eine, dann in die andere Richtung. Auf dem Rückweg zum Hof durfte ich ihm alleine folgen, so schnell ich wollte, und ich lernte, auf sein Pfeifen hin zu kommen, nicht aus Gehorsam, sondern weil ich immer bei ihm sein wollte. Wenn er pfiff, ahmte er den stockenden Schrei einer Eule nach – es war ein Ruf, dem ich mich nie verweigerte und den ich nie vergessen sollte.

Außer Albert hatte ich nur noch die alte Zoey als Gefährtin. Sie war oft den ganzen Tag unterwegs, sie pflügte und eggte, half mähen und das Vieh auf die Weide treiben, und so blieb ich meist allein. Im Sommer, draußen auf den Feldern, konnte ich das gut ertragen, denn ich hörte sie bei der Arbeit und rief auch von Zeit zu Zeit nach ihr. Aber im Winter, wenn ich einsam im Stall eingesperrt war, vergingen manchmal ganze Tage, ohne dass ich eine Seele zu sehen oder zu hören bekommen hätte – wenn Albert nicht gekommen wäre.

Wie er versprochen hatte, kümmerte er sich, so gut er konnte, um mich und beschützte mich vor seinem Vater; aber sein Vater war nicht das Ungeheuer, das ich erwartet hatte. Meist beachtete er mich gar nicht, und wenn er mir einen prüfenden Blick zuwarf, dann nur aus der Ferne. Bei Gelegenheit konnte er sogar ziemlich freundlich sein, doch ganz vertrauen konnte ich ihm nie, nicht nach unserer ersten Begegnung. Ich wollte ihm nicht zu nahe sein und so wich ich immer vor ihm zurück, scheute über das ganze Feld und sah zu, dass die alte Zoey stets zwischen uns stand. Dienstags aber betrank sich Alberts Vater regelmäßig, und wenn Albert nach Hause kam, suchte er einen Vorwand, um zu mir zu gehen und aufzupassen, dass der Vater ja nicht in meiner Nähe auftauchte.

An einem solchen Abend im Herbst, etwa zwei Jahre nachdem ich auf den Hof gekommen war, war Albert oben in der Dorfkirche, um die Glocken zu läuten. Vorsichtshalber hatte er mich zu der alten Zoey in den Stall gestellt, wie er es an Dienstagabenden immer tat. »Zusammen seid ihr sicherer. Wenn ihr zusammen seid, kommt Vater nicht rein und lässt euch in Ruhe«, pflegte er zu sagen. Dann beugte er sich über die Stalltür und belehrte uns über die hohe Kunst des Glockenläutens und dass man ihm die große Tenorglocke anvertraut hatte, weil man ihn für Manns genug hielt, mit ihr umzugehen. Nicht lange, meinte er, und er wäre der größte Kerl im ganzen Dorf. Mein Albert war stolz auf sein kraftvolles Glockenspiel, und während Zoey und ich Kopf an Schweif im Stall standen, wo es allmählich dunkel wurde, und uns von den sechs Glocken, die von der Kirche her durch die Dämmerung über die Felder klangen, in den Schlaf wiegen ließen, da wussten wir, dass Albert mit allem Recht stolz war. Glockengeläut ist die herrlichste Musik, denn sie ist für alle bestimmt – man muss nur lauschen.

Ich habe wohl da gestanden und geschlafen, denn ich erinnere mich nicht, gehört zu haben, wie er kam, aber ganz plötzlich tanzte ein Laternenlicht an der Stalltür und der Riegel wurde zurückgeschoben. Zuerst dachte ich, es könnte Albert sein, aber die Glocken läuteten noch, und dann hörte ich die Stimme und es war unverkennbar die von Alberts Vater an einem Dienstagabend nach dem Markt. Er hängte die Laterne über der Tür auf und wandte sich um. Mit einer Gerte in der Hand kam er durch den Stall auf mich zugetorkelt.

»So, mein stolzer kleiner Teufel«, sagte er mit unverhohlen drohender Stimme. »Ich hab eine Wette laufen, dass ich dich in 'ner Woche dazu kriege, 'nen Pflug zu ziehen. Bauer Easton und die andern im *George* behaupten, ich hätt dich nicht im Griff. Aber denen werd ich's zeigen. Bist genug gehätschelt worden und jetzt ist es an der Zeit, dass du dir dein Futter selber verdienst. Heut Abend probier ich 'n paar Kummets bei dir aus, mal sehn, welches dir passt, und morgen fangen wir an zu pflügen. Hör zu, wir können's auf die sanfte oder auf die harte Tour machen. Wenn du Ärger machst, peitsch ich dich aus bis aufs Blut.«

Die alte Zoey kannte seine Stimmungen gut und wieherte mir mahnend zu, während sie sich in die düsteren Winkel des Stalls zurückzog, aber sie hätte mich gar nicht warnen müssen, denn ich spürte, was er im Schilde führte. Ein Blick auf die erhobene Gerte ließ mein Herz vor Angst wild pochen. So panisch ich war, wusste ich doch, dass ich nicht davonrennen konnte, wohin auch, und deshalb drehte ich mich um und schlug mit den Hinterbeinen aus. Meine Hufe trafen ins Schwarze, das spürte ich. Ich hörte ihn vor Schmerz schreien und dann sah ich, wie er ein steifes Bein hinter sich herzog, aus der Stalltür kroch und etwas von grausamer Rache in sich hineinmurmelte.

Am nächsten Morgen kamen Albert und sein Vater zusammen in die Ställe. Der Vater hinkte schwer. Jeder von ihnen trug ein Kummet und ich konnte sehen, dass Albert geweint hatte, denn seine bleichen Wangen waren tränenverschmiert. Albert und sein Vater standen beide in der Stalltür. Ungeheuer stolz und erleichtert fiel mir auf, dass Albert schon größer war als sein Vater, dessen Gesicht

19

schmerzverzerrt und voller Falten war. »Wenn deine Mutter mich gestern Abend nicht angefleht hätte, Albert, dann hätte ich dieses Pferd auf der Stelle erschossen. Es hätte mich umbringen können. Jetzt warne ich dich, wenn dieser Gaul in einer Woche nicht pfeilgerade pflügt, verkauf ich ihn weiter, das versprech ich dir. Es liegt an dir. Du sagst, du kannst mit ihm umgehen, und ich geb dir nur eine Chance. Er lässt mich nicht in seine Nähe. Er ist wild und heimtückisch, und wenn du es nicht schaffst, ihn in dieser Woche zu zähmen und auszubilden, dann verschwindet er von hier. Hast du mich verstanden? Dieses Pferd muss sein Futter verdienen wie alle andern auch – es ist mir gleich, wie prächtig es ist – dieses Pferd muss lernen zu arbeiten. Und ich versprech dir, Albert, wenn ich diese Wette verlier, dann muss er fort.« Er warf sein Kummet zu Boden und wandte sich zum Gehen.

»Vater«, sagte Albert mit entschlossener Stimme. »Ich bilde Joey aus – gut, ich bring ihm das Pflügen bei –, aber du musst mir versprechen nie mehr eine Gerte gegen ihn zu erheben. So kann man nicht mit ihm umgehen, Vater. Ich kenne ihn, als ob er mein eigener Bruder wäre.«

»Du bildest ihn aus, Albert, du kriegst ihn in den Griff. Mir egal, wie du das anstellst. Ich will es nicht wissen«, sagte sein Vater geringschätzig. »Ich geh nicht mehr in die Nähe von diesem Vieh. Eher erschieß ich ihn.«

Als Albert zu mir in die Box kam, striegelte er mich nicht wie gewöhnlich und redete mir auch nicht freundlich zu. Er baute sich vor mir auf und blickte mir scharf in die Augen. »Das war 'ne teuflische Dummheit«, sagte er streng. »Wenn du überleben willst, Joey, dann musst du was lernen. Du darfst nie wieder gegen jemand ausschlagen. Er meint es ernst, Joey. Er hätte dich im Handumdrehen erschossen, wenn meine Mutter nicht gewesen wäre. Sie war es, die dich gerettet hat. Auf mich wollte er nicht hören und das wird er auch nie tun. Also, nie wieder, Joey. Niemals.« Jetzt änderte sich seine Stimme und er sprach wieder so, wie ich es von ihm kannte. »Wir haben eine Woche, Joey, nur eine Woche, um dir das Pflügen beizubringen. Ich weiß, bei all dem Vollblut in dir hältst du das vielleicht für unter deiner Würde, aber du musst es einfach tun. Die alte Zoey und ich, wir bilden dich aus; das wird eine höllisch schwere Arbeit – und noch schwerer für dich, weil du nicht richtig in Form dafür bist. Du hast noch zu wenig auf den Knochen. Am Ende wirst du mich nicht mehr besonders mögen, Joey. Aber Vater meint, was er sagt. Er steht zu seinem Wort. Sobald er etwas entschieden hat, gibt's kein Zurück. Er wird dich weiterverkaufen und dich sogar eher erschießen, als dass er diese Wette verliert, das ist sicher.«

Schon an diesem Morgen, der Nebel hing noch über den Feldern, bekam ich ein lose hängendes Kummet auf die Schultern, wurde neben die gute alte Zoey gespannt und auf Long Close hinausgeführt, wo meine Ausbildung zum Arbeitspferd begann. Als wir zum ersten Mal gemeinsam den Pflug zogen, scheuerte mir das Kummet die Haut auf und unter der Zuglast sanken meine Hufe tief in die weiche

Erde. Hinter uns war Albert die meiste Zeit am Schreien, und immer wenn ich zögerte oder vom geraden Weg abwich, immer wenn er den Eindruck hatte, ich würde nicht mein Bestes geben – und das spürte er –, gab er mir einen Hieb mit der Peitsche. Das war ein ganz anderer Albert. Die sanften Worte und die Freundlichkeit gehörten der Vergangenheit an. In seiner Stimme lag etwas Schroffes und Scharfes, er duldete keinen Widerstand von mir. An meiner Seite hängte sich die alte Zoey mit gesenktem Kopf in ihr Kummet, grub die Füße in die Erde und zog stumm. Für sie und für mich, aber auch für Albert legte ich jetzt ebenfalls mein ganzes Gewicht ins Kummet. Im Lauf dieser Woche lernte ich in Grundzügen, wie ein Bauernpferd zu pflügen hat. Jeder Muskel meines Körpers schmerzte von der Anstrengung; aber wenn ich in der Nacht ausgestreckt im Stall geruht hatte, war ich am nächsten Morgen wieder frisch und bereit zur Arbeit.

Mit jedem Tag machte ich Fortschritte und allmählich pflügten wir wie ein gutes Arbeitsgespann. Albert benutzte die Peitsche immer seltener und sprach wieder freundlicher zu mir, und als die Woche zu Ende ging, war ich sicher, dass ich seine Zuneigung gänzlich zurückgewonnen hatte. Dann, eines Nachmittags, als wir das Land um Long Close fertig hatten, hakte er den Pflug los und legte uns beiden die Arme um die Hälse. »Nun ist es gut, ihr habt's geschafft, meine Hübschen. Ihr habt's geschafft«, sagte er. »Ich hab's euch nicht erzählt, weil ich euch nicht ablenken wollte, aber Vater und Bauer Easton haben uns heut Nachmittag vom Haus aus beobachtet.« Er kraulte uns hinter den Ohren und strich uns über die Nasen. »Vater hat seine Wette gewonnen. Er hat mir beim Frühstück gesagt, wenn wir den Acker heute fertig kriegen, vergisst er den ganzen Zwischenfall und du darfst bleiben, Joey. Du hast es also geschafft, mein Hübscher, und ich bin so stolz auf dich, dass ich dir am liebsten einen Kuss geben würde, aber das tu ich nicht, denn die gucken ja schließlich zu. Er behält dich jetzt bei uns, da bin ich sicher. Mein Vater hält, was er verspricht, da kannst du dich drauf verlassen – solange er nüchtern ist.«

Einige Monate später, wir hatten auf Great Meadow Heu gemäht und waren auf dem ausgefurchten, laubübersäten Weg unterwegs nach Hause, sprach Albert zum ersten Mal vom Krieg. »Mutter meint, es wird wohl Krieg geben«, sagte er traurig. »Ich weiß nicht, um was es geht, irgendwie um einen alten Herzog, der irgendwo erschossen worden ist. Kann mir nicht vorstellen, warum das für jemand wichtig sein sollte, aber sie sagt, wir werden trotzdem reingeraten. Auch wenn wir hier unten davon nichts mitbekommen werden. Wir machen einfach weiter. Mit fünfzehn bin ich sowieso zu jung, um in den Krieg zu ziehen – jedenfalls hat sie das behauptet. Aber ich sag dir eins, Joey, wenn der Krieg kommt, dann würd ich gern hingehen. Ich glaub, aus mir würd ein guter Soldat werden, meinst du nicht? Eine Uniform würd mir bestimmt ganz gut stehen, oder? Und ich wollte immer schon mal im Takt einer Kapelle marschieren. Kannst du dir das vorstellen, Joey? Und wo wir schon dabei sind, du würdest ein prima Kriegspferd abgeben, nicht wahr – wenn du so gut läufst, wie zu ziehst, und ich weiß, das kannst du. Wir zwei zusammen, wir wären unschlagbar. Wenn die Deutschen jemals gegen uns kämpfen müssen, dann gnade ihnen Gott.«

Es war an einem heißen Sommerabend, nach einem langen und staubigen Tag auf den Feldern, ich hatte das Maul noch tief in meinem Futterbrei und Hafer, und Albert rieb mich mit Stroh trocken und sagte, dass sie diesmal für die Wintermonate reichlich gutes Weizenstroh hätten und wie gut es sich für die Dächer eignen würde, die sie decken wollten. Da hörte ich die schweren Schritte seines Vaters über den Hof auf uns zukommen. »Mutter«, rief er im Gehen. »Mutter, komm raus, Mutter.« Es war seine normale Stimme, seine nüchterne Stimme, und von dieser Stimme hatte ich nichts zu befürchten. »Es ist Krieg, Mutter. Ich hab's grad im Dorf gehört. Der Postbote kam heute Nachmittag mit der Nachricht. Diese Teufel sind in Belgien einmarschiert. Jetzt gibt's kein Zurück mehr. Gestern um elf haben wir ihnen den Krieg erklärt. Wir sind im Krieg mit den Deutschen. Die kriegen 'ne solche Tracht Prügel von uns, dass sie ihre Fäuste nie mehr gegen jemand erheben. Nur weil der britische Löwe schläft, glauben die, er wär tot. Denen werden wir's zeigen, Mutter – denen erteilen wir 'ne Lektion, die sie nie mehr vergessen werden.«

Albert hatte aufgehört mich abzureiben und ließ das

Stroh zu Boden fallen. Er ging hinüber zur Stalltür. Seine Mutter stand auf der Treppe zum Haus. Sie hatte die Hand auf den Mund gepresst. »Du lieber Gott«, sagte sie leise. »Du lieber Gott.«

Kapitel 3

In diesem letzten Sommer auf dem Hof hatte Albert ganz behutsam, so behutsam, dass es mir kaum etwas ausmachte, damit begonnen, mit mir über das Anwesen zu reiten, um nach den Schafen zu sehen. Die alte Zoey folgte uns dabei immer, und von Zeit zu Zeit machte ich halt, um mich zu vergewissern, dass sie noch bei uns war. Ich kann mich nicht erinnern, wann Albert mich das erste Mal gesattelt hat, aber er muss es irgendwann getan haben, denn als in diesem Sommer der Krieg erklärt wurde, ritt Albert jeden Morgen und fast jeden Abend nach der Arbeit mit mir hinaus zu den Schafen. Mit der Zeit lernte ich jeden Weg in der Gemeinde kennen, jede flüsternde Eiche und jedes klappernde Gatter. Unterhalb von Innocent's Copse jagten wir in spritzendem Galopp durch den Fluss und donnerten auf der anderen Seite den Ferny Piece hoch. Wenn Albert mich ritt, hing er nie in den Zügeln oder riss am Mundstück in meinem Maul, es genügte ein sanfter Druck mit den Knien und eine Berührung mit den

Fersen, und ich wusste, was er von mir wollte. Ich glaube, dass er mich sogar ohne das hätte reiten können, so gut verstanden wir uns schließlich. Wenn er nicht zu mir sprach, sang oder pfiff er unentwegt und irgendwie gab er mir so das Gefühl, sicher zu sein.

In der ersten Zeit bekamen wir auf dem Hof kaum etwas von dem Krieg mit. Wir mussten noch einiges an Stroh wenden und in die Scheune bringen für den Winter und so wurden die alte Zoey und ich jeden Morgen zum Arbeiten auf die Felder hinausgeführt. Zu unserer großen Erleichterung hatte Albert inzwischen praktisch alle Arbeit mit den Pferden auf dem Hof übernommen und überließ es seinem Vater, die Schweine und die Ochsen zu versorgen, nach den Schafen zu sehen, Zäune zu flicken und die Gräben um den Hof zu entschlammen, so dass wir ihn selten länger als ein paar Minuten am Tag sahen. Doch trotz der alltäglichen Routine wuchs die Spannung auf dem Hof und allmählich überfiel mich eine deutliche dunkle Vorahnung. Auf dem Innenhof kam es zu langen und hitzigen Wortwechseln, manchmal zwischen Alberts Eltern, aber seltsamerweise öfter noch zwischen Albert und seiner Mutter.

»Du darfst ihm keinen Vorwurf machen, Albert«, sagte sie eines Morgens vor der Stalltür zornig zu ihm. »Das hat er alles nur für dich getan. Als Lord Denton ihm vor zehn Jahren den Hof zum Kauf anbot, da hat er eine Hypothek aufgenommen, damit du später mal einen eigenen Hof hast. Und diese Hypothek macht ihm fürchterliche Sorgen und treibt ihn zur Flasche. Wenn er also ab und zu nicht er selbst ist, hast du kein Recht, über ihn herzuziehen. Es geht ihm nicht mehr so gut und er kann nicht mehr so viel Arbeit in den Hof stecken wie früher. Er ist über fünfzig, weißt du? Kinder machen sich gar keine Gedanken darüber, ob ihre Väter alt oder jung sind. Und dann ist da noch der Krieg. Der Krieg macht ihm Sorgen, Albert. Er fürchtet, dass die Preise sinken, und ich glaube, tief in seinem Herzen meint er, dass er als Soldat nach Frankreich ziehen sollte – aber dafür ist er zu alt. Du musst versuchen ihn zu verstehen, Albert. Wenigstens das hat er verdient.«

»Du trinkst nicht, Mutter«, erwiderte Albert hitzig. »Dabei hast du nicht weniger Sorgen als er. Und wenn du doch trinken würdest, würdest du deinen Zorn nicht so an mir auslassen. Ich arbeite mich halb zu Tode und trotzdem beklagt er sich andauernd, dies ist nicht erledigt und das ist nicht erledigt. Immer wenn ich mit Joey abends ausreite, beschwert er sich. Er will nicht mal, dass ich einmal die Woche zum Glockenläuten gehe. Das ist nicht in Ordnung, Mutter.«

»Das weiß ich, Albert«, sagte seine Mutter nun beschwichtigend und schloss die Hände um seine Hand. »Aber du musst versuchen das Gute in ihm zu sehen. Er ist ein guter Mann – das ist er wirklich. Du hast ihn doch auch noch so in Erinnerung, oder?«

»Ja, Mutter, so hab ich ihn in Erinnerung«, gab Albert zu, »wenn er doch nur nicht ständig über Joey herziehen würde. Schließlich arbeitet Joey jetzt für sein Futter und hin und wieder muss er freie Zeit und seinen Spaß haben, genau wie ich.«

»Natürlich, Schatz«, sagte sie, fasste ihn unter und führte ihn hinüber zum Haus. »Aber du weißt doch, was er von Joey hält, nicht wahr? Er hat ihn in einem Anfall von Wut gekauft und es seither immer bereut. Eigentlich, sagt er, brauchen wir nur ein Pferd für die Feldarbeit und dein Pferd frisst Geld. Das macht ihm Sorgen. Bauern und Pferde, es ist immer das Gleiche. Mein Vater war genauso. Aber er wird es sich schon anders überlegen, wenn du nett zu ihm bist – da bin ich sicher.«

Doch Albert und sein Vater sprachen zu jener Zeit kaum noch miteinander und Alberts Mutter wurde immer mehr zu einer Schlichterin, die Ausgleich zwischen den beiden herstellte. Es war an einem Mittwochmorgen, der Krieg war gerade mal ein paar Wochen alt, als Alberts Mutter wieder einmal draußen auf dem Hof zwischen Vater und Sohn vermittelte. Wie üblich war Alberts Vater in der Nacht zuvor betrunken vom Markt nach Hause gekommen. Er sagte, er hätte vergessen, den schwarz-weißen Eber zurückzubringen, den sie ausgeliehen hatten, um die Säue zu decken. Er befahl Albert, den Eber wegzubringen, doch Albert wehrte sich heftig und nun schwelte ein Streit. Alberts Vater meinte, er hätte »einiges zu erledigen«, und Albert behauptete, er müsse die Ställe putzen.

»Du brauchst doch höchstens eine halbe Stunde, um den Eber das Tal runter nach Fursden zu treiben«, rief Alberts Mutter rasch, um die Wogen wieder etwas zu glätten.

»Nun gut«, gab Albert nach, wie er es immer tat, wenn seine Mutter eingriff, denn er wollte sie auf keinen Fall verärgern. »Ich tu's für dich, Mutter. Aber nur, wenn ich Joey heute Abend ausreiten darf. Ich will mit ihm diesen Winter jagen gehen und ich muss ihn gut vorbereiten.« Alberts Vater stand stumm da und in diesem Moment fiel mir auf, dass er mich dünnlippig anstarrte. Albert wandte sich um, tätschelte mir sanft die Nase, nahm sich einen Stock von dem Brennholzstapel am Schuppen und machte sich auf den Weg in den Schweinestall. Ein paar Minuten später sah ich, wie er den großen schwarz-weißen Eber die Hofeinfahrt hinunter auf das Sträßchen zutrieb. Ich rief ihm nach, doch er drehte sich nicht um.

Wenn Alberts Vater in den Stall kam, dann nur, um die alte Zoey zu holen. Zu jener Zeit ließ er mich meistens in Ruhe. Er warf Zoey draußen auf dem Innenhof einen Sattel über und ritt hinaus in die Hügel hinter dem Hof, um nach den Schafen zu sehen. Deshalb war es nichts Besonderes, als er an diesem Morgen in den Stall kam und Zoey hinausführte. Doch als er hinterher in den Stall zurückkam und anfing mir schmeichelnde Worte zuzuflüstern und mir einen Eimer mit süß riechendem Hafer hinhielt, wurde ich sofort misstrauisch. Aber so begründet mein Argwohn auch war, der Hafer und meine Neugierde waren stärker, und ehe ich mich abwenden konnte, gelang es ihm, mir ein Halfter über den Kopf zu ziehen. Seine Stimme jedoch war ungewöhnlich sanft und freundlich, während er das Halfter festzurrte und langsam die Hand ausstreckte, um mir den Hals zu streicheln.

»Wird schon gut werden, alter Junge«, sagte er leise. »Wird schon gut werden. Die kümmern sich um dich, haben's versprochen. Und ich brauch das Geld, Joey, ich hab's bitter nötig.«

Kapitel 4

Er band einen langen Strick an das Halfter und führte mich aus dem Stall. Ich folgte ihm, weil Zoey dort draußen stand und mich über die Schulter anblickte, und solange Zoey dabei war, ging ich immer bereitwillig mit, gleich wohin und mit wem. Ab und zu fiel mir auf, dass Alberts Vater mit gedämpfter Stimme sprach und sich umschaute wie ein Dieb.

Er muss gewusst haben, dass ich der alten Zoey folgen würde, denn er band mich an ihren Sattel und führte uns leise zum Hof hinaus, den Zuweg entlang und über die Brücke. Sobald wir auf dem Sträßchen waren, setzte er sich rasch auf Zoey und wir trabten den Hügel hinauf ins Dorf. Er sprach nicht ein Wort zu uns. Ich kannte den Weg natürlich recht gut, denn ich war mit Albert oft da gewesen, und eigentlich ging ich gern dort entlang, weil man immer andere Pferde treffen und Menschen sehen konnte. Erst vor kurzem war ich im Dorf meinem ersten Automobil begegnet, draußen vor dem Postamt, und ich war erstarrt vor

Angst, als es vorbeiratterte, war aber ruhig stehen geblieben, und ich weiß noch, dass Albert danach einen großen Wirbel um mich gemacht hat. Doch nun, da wir uns dem Dorf näherten, waren mehrere Automobile um den Dorfanger geparkt, ich hatte noch nie eine solch große Versammlung von Männern und Pferden gesehen. Obwohl ich aufgeregt war, erinnere ich mich doch noch, dass mich ein tiefer Argwohn überkam, als wir im Trab ins Dorf hineinritten.

Überall waren Männer in khakifarbenen Uniformen; und als Alberts Vater abstieg und uns an der Kirche vorbei auf die Wiese führte, begann eine Militärkapelle einen stürmischen, hämmernden Marsch zu spielen. Der Wirbel der großen Basstrommel drang durch das ganze Dorf und überall marschierten Kinder mit Besenstielen über den Schultern auf und ab, während andere sich Fahnen schwingend aus den Fenstern lehnten.

Als wir uns dem weißen Fahnenmast in der Mitte des Dorfangers näherten, wo der Union Jack schlaff in der Sonne hing, schob sich ein Offizier durch die Menge auf uns zu. Er war groß und wirkte elegant in seinen Reithosen, mit seinem Offizierskoppel und dem silbernen Säbel an der Hüfte. Er schüttelte Alberts Vater die Hand. »Ich hab Ihnen gesagt, dass ich kommen würde, Captain Nicholls, Sir«, sagte Alberts Vater. »Es ist, weil ich das Geld brauch, verstehen Sie? Würd mich nie von so 'nem Pferd trennen, wenn ich nicht müsste.«

»Nun, Bauer«, sagte der Offizier und nickte anerkennend, während er mich musterte. »Ich dachte, Sie hätten übertrieben, als wir uns gestern Abend im *George* unterhielten. ›Das beste Pferd im Dorf‹, haben Sie behauptet, doch das sagt jeder. Aber der hier ist was Besonderes – das sehe ich.« Und er strich mir sanft über den Hals und kraulte mich hinter den Ohren. Seine Hand wie auch seine Stimme waren freundlich und ich scheute nicht vor ihm. »Sie haben Recht, Bauer, der würde ein feines Ross für jedes Regiment abgeben und wir wären stolz ihn zu besitzen – ich hätte nichts dagegen ihn selbst zu reiten. Nein, überhaupt nichts. Wenn er so gut ist, wie er aussieht, dann wär er genau der Richtige für mich. Ein herrliches Tier, kein Zweifel.«

»Sie zahlen mir vierzig Pfund, Captain Nicholls, wie gestern versprochen?«, sagte Alberts Vater mit ungewöhnlich leiser Stimme, fast als sollte ihn niemand sonst hören. »Ich kann ihn für keinen Penny weniger hergeben. Man muss zusehen, dass man über die Runden kommt.«

»Das habe ich Ihnen gestern Abend versprochen, Bauer«, sagte Captain Nicholls, machte mir das Maul auf und untersuchte meine Zähne. »Ein feines junges Pferd ist das, starker Hals, schräge Schultern, kräftige Fesseln. Hat viel gearbeitet, stimmt's? Waren Sie schon auf der Jagd mit ihm?«

»Mein Sohn reitet jeden Tag mit ihm aus«, sagte Alberts Vater. »Geht ab wie ein Rennpferd, springt wie ein Jagdpferd, erzählt er mir.«

»Nun«, sagte der Offizier, »wenn unser Tierarzt ihn für

gesund hält, dann bekommen Sie wie abgemacht Ihre vierzig Pfund.«

»Ich kann nicht lange bleiben, Sir«, erwiderte Alberts Vater und warf einen Blick über die Schulter. »Ich muss zurück. Mich um meine Arbeit kümmern.«

»Nun, wir haben hier im Dorf viel zu tun, wir rekrutieren und kaufen ein«, sagte der Offizier. »Aber wir machen es so schnell wie möglich für Sie. Immerhin gibt es hier in diesem Landstrich viel mehr gute Freiwillige als gute Pferde, und der Tierarzt muss ja die jungen Männer nicht untersuchen, oder? Warten Sie hier, ich brauche nur ein paar Minuten.«

Captain Nicholls führte mich durch einen Torbogen gegenüber dem Pub in einen großen Garten, wo Männer in weißen Kitteln und ein uniformierter Schreiber an einem Tisch saßen und sich Notizen machten. Ich meinte, die alte Zoey würde mir nachrufen, also rief ich zurück, um sie zu beruhigen, denn noch spürte ich keine Angst. Ich fand das, was um mich herum geschah, nur allzu spannend. Der Offizier redete unterwegs sanft auf mich ein, so dass ich ihm fast begierig folgte. Der Tierarzt, ein kleiner, quirliger Mann mit einem buschigen schwarzen Schnurrbart, tastete mich überall ab, hob meine Füße einen nach dem anderen hoch – wogegen ich mich wehrte – und spähte dann in meine Augen und in mein Maul, während er an meinem Atem schnüffelte. Dann ließ er mich Runde um Runde im Garten umhertraben, bis er schließlich verkündete, ich sei ein tadelloses Exemplar.

»Gesund und munter. Tauglich für alles, Kavallerie oder Artillerie«, lauteten seine Worte. »Kein Knochenauswuchs, kein Spat, gute Füße und Zähne. Kaufen Sie ihn, Captain«, sagte er. »Da haben Sie ein gutes Pferd.«

Ich wurde zurückgeführt zu Alberts Vater, der die Scheine von Captain Nicholls entgegennahm und sie rasch in die Hosentasche steckte. »Sie kümmern sich um ihn, Sir?«, fragte er. »Sie sorgen dafür, dass ihm nichts zustößt? Mein Sohn hängt sehr an ihm, müssen Sie wissen.« Er streckte die Hand aus und strich mir über die Nase. Tränen traten ihm in die Augen. In diesem Moment erschien er mir fast als liebenswerter Mensch. »Du wirst es sicher gut haben, alter Junge«, flüsterte er mir zu. »Du verstehst das nicht und Albert wird's auch nicht verstehen, aber wenn ich dich nicht verkaufe, kann ich meine Hypothek nicht abbezahlen und dann verlieren wir den Hof. Ich hab dich schlecht behandelt – ich hab alle schlecht behandelt. Ich weiß das und mir tut's leid.« Dann nahm er Zoey am Strick und ging mit gesenktem Kopf davon. Mit einem Mal sah er aus wie ein gebrochener Mann.

Da wurde mir erst bewusst, dass ich verlassen worden war, und ich begann zu wiehern, hoch und schrill, voll Schmerz und Angst, und mein Schrei hallte durch das ganze Dorf. Selbst die alte Zoey, folgsam und ergeben, wie sie im Grunde war, blieb stehen und weigerte sich weiterzugehen, mochte Alberts Vater noch so heftig an ihr zerren. Sie wandte sich um, warf den Kopf zurück und stieß ihren Abschiedsschrei aus. Aber ihr Wiehern wurde schwächer und schließlich zog er sie fort, bis ich sie nicht mehr sehen konnte. Freundliche Hände versuchten mich zu besänftigen und zu trösten, aber ich war untröstlich.

Ich hatte gerade alle Hoffnung aufgegeben, als ich meinen Albert, das Gesicht rot vor Anstrengung, durch die Menge auf mich zurennen sah. Die Kapelle hatte aufgehört zu spielen und das ganze Dorf beobachtete, wie er sich gegen mich warf und mir die Arme um den Hals schlang.

»Er hat ihn verkauft, nicht wahr?«, sagte er leise und blickte Captain Nicholls an, der mich festhielt. »Joey ist mein Pferd. Er ist mein Pferd und das wird er immer sein, ganz egal wer ihn kauft. Ich kann meinen Vater nicht daran hindern, ihn zu verkaufen, aber wenn Joey mit Ihnen geht, will ich es auch. Ich möchte mich als Freiwilliger melden und bei ihm bleiben.«

»Du hast die richtige Einstellung für einen Soldaten, junger Mann«, sagte der Offizier, nahm seine Schirmmütze ab und wischte sich mit dem Handrücken die Stirn. Er hatte schwarzes, lockiges Haar und ein freundliches, offenes Gesicht. »Du hast die Einstellung, aber du bist noch nicht alt genug. Du bist zu jung und das weißt du. Wir nehmen keinen unter siebzehn. Komm in gut einem Jahr wieder, dann sehen wir weiter.«

»Ich seh aus wie siebzehn«, sagte Albert fast flehend. »Ich bin größer als die meisten mit siebzehn.« Aber während er sprach, wurde ihm klar, dass es keinen Zweck hatte. »Sie nehmen mich also nicht, Sir? Nicht mal als Stalljungen? Ich tu alles, alles.«

»Wie heißt du, junger Mann?«, fragte Captain Nicholls.

»Narracott, Sir. Albert Narracott.«

»Nun, Mr Narracott. Es tut mir leid, ich kann dir nicht helfen.« Der Offizier schüttelte den Kopf und setzte sich die Mütze wieder auf. »Nichts zu machen, junger Mann, die Vorschriften. Aber mach dir keine Sorgen um deinen Joey. Bis du so weit bist und zu uns kommen kannst, ist er bei mir in den richtigen Händen. Du hast ihn ordentlich ausgebildet. Du solltest stolz auf ihn sein – er ist ein gutes, ein herrliches Pferd, aber dein Vater braucht das Geld für seinen Hof, einen Hof kann man ohne Geld nicht führen. Denk darüber nach. Mir gefällt deine Einstellung. Wenn du alt genug bist, musst du zu uns in die Kavallerie kommen. Wir werden Männer wie dich brauchen können, denn ich fürchte, das wird ein langer Krieg, länger, als die Leute denken. Beruf dich auf mich. Ich bin Captain Nicholls und ich wäre stolz dich in unseren Reihen zu haben.«

»Es gibt also keinen Weg?«, fragte Albert. »Ich kann nichts tun?«

»Nichts«, sagte Captain Nicholls. »Dein Pferd gehört jetzt der Armee und du bist zu jung, um dich einzuschreiben. Mach dir keine Sorgen – wir kümmern uns um ihn. Ich selbst werde ein Auge auf ihn haben, das verspreche ich dir.«

Albert kraulte mir die Nase, wie es seine Angewohnheit war, und streichelte mir die Ohren. Er versuchte zu lächeln, aber es gelang ihm nicht. »Ich find dich wieder, du alter Kindskopf«, sagte er leise. »Wo immer du auch steckst, ich finde dich, Joey. Kümmern Sie sich gut um ihn, bitte, Sir, bis ich ihn wiedersehe. Es gibt kein zweites Pferd wie ihn, auf der ganzen Welt nicht – das werden Sie bald merken. Versprochen?«

»Versprochen«, sagte Captain Nicholls. »Ich tu, was ich kann.« Und Albert wandte sich um und ging durch die Menge davon, bis ich ihn nicht mehr sah.

Kapitel 5

In den wenigen kurzen Wochen, ehe ich in den Krieg zog, wurde aus dem Arbeitspferd, das ich gewesen war, ein Kavalleriepferd. Die Umstellung fiel mir nicht leicht, denn die strenge Disziplin der Reitschule und die anstrengenden Stunden bei den Manövern draußen in der Hitze von Salisbury Plain waren mir zuwider. Früher bei Albert hatte ich die langen Ausritte über die Wege und Felder genossen, die Hitze und die Fliegen hatten mich nicht gestört; ich hatte die Tage geliebt, an denen ich Seite an Seite mit Zoey mühsam gepflügt und gemäht hatte, aber nur deshalb, weil wir vertraut waren und uns mochten. Nun jedoch zogen sich die Stunden, die ich um die Schule herumritt, endlos und zäh dahin. Statt der lockeren Trense, an die ich gewöhnt war, gaben sie mir eine quälend klobige Kandare, die mir die Maulwinkel aufscheuerte und mich furchtbar zornig machte.

Mehr als alles andere in meinem neuen Leben jedoch hasste ich meinen Reiter. Corporal Samuel Perkins war ein harter, verbissener kleiner Mann, ein ehemaliger Jockey, dessen einziges Vergnügen die Macht zu sein schien, die er über ein Pferd ausüben konnte. Er war bei allen Kavalleristen und Pferden gleichermaßen gefürchtet; selbst die Offiziere, so schien es mir, zitterten vor ihm. Offenbar wusste er alles, was es über Pferde zu wissen gab, und hatte sein ganzes Leben lang mit ihnen zu tun gehabt. Er ritt streng und mit harter Hand. Peitsche und Sporen waren bei ihm nicht nur zur Zierde da.

Er schlug mich niemals und verlor auch nie die Geduld, im Gegenteil: Manchmal, wenn er mich striegelte, hatte er mich, glaube ich, durchaus gern und ich selbst hatte sehr wohl einen gewissen Respekt vor ihm, der jedoch auf Furcht und nicht auf Liebe gründete. Zornig und unglücklich, wie ich war, versuchte ich mehrmals, ihn abzuwerfen, aber es gelang mir nie. Seine Knie hatten mich eisern im Griff und er schien instinktiv zu wissen, was ich im nächsten Augenblick tun würde.

Mein einziger Trost in diesen ersten Tagen der Ausbildung waren die Besuche von Captain Nicholls jeden Abend. Er allein schien die Zeit zu haben, mich zu besuchen und mit mir zu reden, wie Albert es einst getan hatte. Er setzte sich mit einem Skizzenbuch auf den Knien auf eine Kiste in einer Ecke meiner Box, sprach zu mir und zeichnete mich dabei. »Ich habe jetzt ein paar Skizzen von dir gemacht«, sagte er eines Abends, »und wenn ich mit dieser hier fertig bin, male ich ein Bild von dir. Das wird kein Stubbs werden – es wird besser werden als ein Stubbs, weil der nie ein so schönes Pferd wie dich zum Malen hatte. Ich kann es nicht mit nach Frankreich nehmen – wozu auch? Ich werde es deinem Freund Albert schicken, damit er weiß, dass ich es ernst meinte, als ich ihm versprach mich um dich zu kümmern.« Während er zeichnete, ließ er immer wieder den Blick über mich wandern und ich hätte ihm am liebsten gesagt, wie sehr ich mir wünschte, dass er meine Ausbildung selbst übernahm, und wie streng der Corporal war und wie heftig meine Flanken und Füße schmerzten. »Um ehrlich zu sein, Joey, ich hoffe, dieser Krieg ist zu Ende, ehe dein Freund alt genug ist, um zu uns zu kommen, denn der Krieg wird grausam werden, sehr grausam, merk dir meine Worte. In der Offiziersmesse reden sie alle davon, wie sie wohl mit den Deutschen fertig werden, wie sie mit der Kavallerie durch die feindlichen Reihen brechen und die Deutschen noch vor Weihnachten bis nach Berlin zurückwerfen werden. Jamie und ich sind die Einzigen, die anderer Meinung sind, Joey. Wir haben da unsere Zweifel, das kann ich dir sagen. Wir haben da unsere Zweifel. Offenbar hat keiner von denen in der Messe jemals von Maschinengewehren und Artillerie gehört. Ich sag dir eins, Joey, ein gut platziertes Maschinengewehr kann eine ganze Schwadron der besten Kavallerie der Welt niedermähen – sei sie nun deutsch oder britisch. Man muss sich nur mal ansehen, was mit unserer Leichten Brigade bei Balaklawa passiert ist, als es gegen die russischen Kanonen ging – daran scheint sich keiner zu erinnern. Und die Franzosen haben ihre Lektion im Deutsch-Französischen Krieg gelernt. Aber die lassen sich nichts sagen, Joey. Wenn du etwas einwendest, nennen sie dich einen Miesmacher oder irgendeinen anderen Unsinn. Ehrlich gesagt glaube ich, dass mancher von denen dort drin den Krieg nur dann gewinnen will, wenn die Kavallerie für den Sieg verantwortlich ist.«

Er stand auf, klemmte sich sein Skizzenbuch unter den Arm, kam auf mich zu und kitzelte mich hinter den Ohren. »Das magst du doch, alter Junge? Trotz all dem Feuer und Schwefel bist du doch im Grunde ein verschmuster alter Kerl. Eigentlich haben wir zwei eine Menge gemeinsam. Erstens gefällt es uns hier nicht besonders und wir wären lieber woanders. Zweitens war keiner von uns je im Krieg – nicht mal einen bösen Schuss haben wir gehört, stimmt's? Ich hoffe, dass ich der Sache gewachsen bin, wenn es so weit ist – das macht mir die meisten Sorgen, Joey. Denn ich sage dir, und das hab ich noch nicht mal zu Jamie gesagt – ich habe höllische Angst. Du solltest also Mut für uns beide haben.«

Auf der anderen Seite des Hofes schlug eine Tür und ich hörte den vertrauten Klang von Stiefeln, die forsch über das Pflaster schritten. Es war Corporal Samuel Perkins, der auf seiner abendlichen Runde an den Stallungen entlangging und an jeder Box kurz stehen blieb, bis er schließlich zu mir kam.

»Guten Abend, Sir«, sagte er und salutierte schneidig. »Wieder beim Skizzieren?«

»Tue mein Bestes, Corporal«, sagte Captain Nicholls.

»Tue mein Bestes, um ihm gerecht zu werden. Ist er nicht das schönste Ross in der ganzen Schwadron? Ich habe noch nie ein Pferd gesehen, das so gut beisammen ist wie der, Sie vielleicht?«

»Ja, der ist was Besonderes fürs Auge, Sir«, sagte der Corporal der Kavallerie. Sobald ich seine Stimme hörte, legten sich meine Ohren an, sie hatte diesen dünnen, bissigen Ton, den ich so fürchtete. »Das stimmt, aber das Aussehen ist nicht alles, nicht wahr, Sir? Man darf sich bei einem Pferd nicht nur auf den äußeren Eindruck verlassen, oder, Sir? Wie soll ich es ausdrücken, Sir?«

»Wie immer Sie belieben, Corporal«, antwortete Captain Nicholls etwas frostig, »aber passen Sie auf, was Sie sagen, denn das ist mein Pferd, über das Sie reden, also Vorsicht.«

»Ich habe den Eindruck, dass er seinen eigenen Kopf hat. Ja, so könnte man sagen. Draußen im Manöver macht er sich ordentlich – ein echter Steher, einer der Besten –, aber in der Schule, Sir, ist er ein Teufel, und was für ein starker Teufel. Wurde nie richtig ausgebildet, Sir, das kann ich Ihnen versichern. Ein Ackergaul ist das, und auf dem Hof großgezogen. Wenn er ein Kavalleriepferd werden soll, Sir, dann muss er sich an die Disziplin gewöhnen. Er muss lernen sofort und instinktiv zu gehorchen. Sie wollen doch keine Primadonna unter sich haben, wenn Ihnen Kugeln um die Ohren fliegen.«

»Zum Glück, Corporal«, sagte Captain Nicholls, »zum Glück wird dieser Krieg draußen und nicht drinnen geführt. Ich habe Sie angewiesen Joey auszubilden, weil ich glaube, dass Sie der beste Mann für diese Aufgabe sind – es gibt in der ganzen Schwadron keinen besseren. Aber vielleicht sollten Sie ihn nicht ganz so hart rannehmen. Sie müssen immer dran denken, wo er herkommt. Er ist willig – man muss ihn nur sanft überreden, das ist alles. Aber sachte bleiben, Corporal, sachte bleiben. Ich will nicht, dass er sauer wird. Dieses Pferd wird mich durch den Krieg tragen und mit ein wenig Glück am anderen Ende wieder hinaus. Er liegt mir am Herzen, Corporal, das müssen Sie wissen. Also kümmern Sie sich um ihn, als wäre es Ihr eigenes Pferd, verstanden? In knapp einer Woche brechen wir nach Frankreich auf. Wenn ich die Zeit hätte, würde ich ihn selber ausbilden, aber ich habe genug damit zu tun, aus Kavalleristen berittene Infanteristen zu machen. Ein Pferd mag einen durch den Krieg tragen, Corporal, aber es kann nicht für einen kämpfen. Und unter den Leuten gibt es immer noch einige, die glauben, dass sie nur ihre Säbel brauchen werden, wenn sie dort draußen sind. Manche von ihnen meinen tatsächlich, wenn sie ihre Säbel blitzen lassen, kriegen die Deutschen so viel Angst, dass sie auf dem schnellsten Weg nach Hause rennen. Ich sage Ihnen, die müssen lernen, wie man richtig schießt – wir müssen alle lernen, wie man richtig schießt, wenn wir diesen Krieg gewinnen wollen.«

»Ja, Sir«, sagte der Corporal, nun mit Hochachtung in der Stimme. So zahm und ergeben hatte ich ihn noch nie erlebt.

»Und, Corporal«, sagte Captain Nicholls, während er zur Stalltür ging, »ich wäre Ihnen verbunden, wenn Sie Joey ein wenig aufpäppeln würden, er hat ein bisschen Form verloren, ist ein wenig eingefallen, würde ich sagen. In zwei oder drei Tagen werde ich mit ihm in die Abschlussmanöver ziehen und ich will, dass er gesund ist und glänzt. Er soll das bestaussehende Pferd in der ganzen Schwadron sein.«

Erst in dieser letzten Woche meiner militärischen Ausbildung begann ich mich endlich in die Arbeit zu fügen. Corporal Samuel Perkins schien nach diesem Abend weniger hart mit mir umzugehen. Er benutzte die Sporen seltener und ließ die Zügel etwas lockerer. Wir arbeiteten jetzt kaum noch in der Schule und übten häufiger Angriffsformationen auf der weiten Ebene um die Kaserne. Ich nahm die Kandare jetzt bereitwillig an und spielte mit ihr zwischen den Zähnen, wie ich es mit der Trense immer getan hatte. Ich begann das gute Fressen zu schätzen und all die Hege und Pflege, die unendliche Zuwendung und Sorgfalt, die mir zuteilwurde. Mit der Zeit dachte ich immer seltener an den Hof und an die alte Zoey und an mein früheres Leben. Doch Albert, sein Gesicht und seine Stimme, blieben mir deutlich in Erinnerung, trotz der gnadenlosen Arbeitsroutine, die mich unmerklich in ein Armeepferd verwandelte.

Als Captain Nicholls kam, um mit mir in die letzten Manöver zu reiten, ehe wir in den Krieg zogen, hatte ich mich mit meinem neuen Leben schon ziemlich abgefunden, ich war sogar zufrieden damit. Captain Nicholls, der jetzt marschbereit in Felduniform gekleidet war, lastete schwer auf meinem Rücken, als das ganze Regiment auf Salisbury Plain hinauszog. Ich erinnere mich vor allem an die Hitze und die Fliegen jenes Tages, denn wir standen Stunde um Stunde in der Sonne und warteten darauf, dass etwas geschah. Dann, als die Abendsonne am flachen Horizont entlang zerfloss und erstarb, stellte sich das ganze Regiment in Staffelformation zum Angriff auf, dem Höhepunkt unserer letzten Manöver.

Der Befehl erging, die Säbel zu ziehen, und wir rückten im Schritt vorwärts. Während wir auf das Hornsignal warteten, knisterte die Luft vor Spannung und Erwartung. Zwischen jedem Pferd und seinem Reiter, zwischen Pferd und Pferd, zwischen Kavallerist und Kavallerist war diese Spannung zu spüren. Ich selbst war so aufgeregt, dass es mir schwerfiel, mich im Zaum zu halten. Captain Nicholls führte seine Truppe und neben ihm ritt sein Freund Captain Jamie Stewart auf einem Pferd, das ich noch nie gesehen hatte. Es war ein großer, glänzend schwarzer Hengst. Während wir im Schritt vorangingen, spähte ich zu ihm hinüber und erhaschte seinen Blick. Er schien kurz aufzumerken. Aus dem Schritt wurde Trab, dann kurzer Galopp. Ich hörte die Hörner blasen und sah plötzlich den Säbel über meinem rechten Ohr nach vorne stoßen. Captain Nicholls beugte sich im Sattel vor und spornte mich zum Galopp an. Das Gedonner und der Staub und das Gebrüll der Männer in meinen Ohren überwältigten mich und hielten mich ständig in einer fiebrigen Erregung, wie ich sie noch nie erlebt hatte. Ich flog über den Boden, allen anderen weit voraus, mit einer Ausnahme. Das einzige Pferd, das gleichauf mit mir blieb, war der glänzende schwarze Hengst. Obwohl Captain Nicholls und Captain Stewart kein Wort gewechselt hatten, spürte ich plötzlich, dass dieses Pferd auf keinen Fall die Nase vorn haben durfte. Ein Blick sagte mir, dass es ihm genauso ging, denn in seinen Augen lag grimmige Entschlossenheit und seine Stirn war vor Anspannung gerunzelt. Nachdem wir die »feindliche« Position überrannt hatten, konnten unsere Reiter uns nur mit Mühe bremsen und dann standen wir endlich Nase an Nase, pustend und keuchend da, während beide Captains erschöpft nach Luft schnappten.

»Siehst du, Jamie, ich hab's dir gesagt«, meinte Captain Nicholls mit einigem Stolz in der Stimme. »Das ist das Pferd, von dem ich dir erzählt hab – das ich im tiefsten Devon gefunden habe –, und wenn wir noch viel länger geritten wären, hätte dein Topthorn Mühe gehabt mitzuhalten. Das kannst du nicht bestreiten.«

Topthorn und ich sahen uns zunächst argwöhnisch an. Er war mindestens eine halbe Handbreit größer als ich, ein mächtiges, schlankes Pferd, das den Kopf mit majestätischer Würde reckte. Er war das erste Pferd, dem ich je begegnet war, das sich an Stärke offenbar mit mir messen konnte, doch sein Blick war freundlich und sagte mir, dass er keine Bedrohung für mich darstellte.

»Mein Topthorn ist das beste Ross in diesem oder irgendeinem anderen Regiment«, sagte Captain Jamie Stewart. »Joey mag vielleicht schneller sein und ich gebe zu, dass er besser aussieht als jedes Pferd, das ich je einen Milchkarren habe ziehen sehen, aber in puncto Ausdauer gibt es keinen, der es mit Topthorn aufnimmt – wir hätten ewig weiterreiten können. Der hat acht Pferdestärken, das kann ich dir versichern.«

Auf dem Weg zurück in die Kaserne diskutierten die beiden Offiziere über die Tugenden ihrer Pferde, während Topthorn und ich Schulter an Schulter mit hängenden Köpfen dahintrotteten – die Sonne und der lange Galopp hatten unsere Kräfte erschöpft. In dieser Nacht wurden wir nebeneinander in die Boxen gestellt, und am nächsten Tag, auf dem Schiff, standen wir erneut Seite an Seite in den Eingeweiden des umfunktionierten Liniendampfers, der uns nach Frankreich und in den Krieg bringen sollte.

Kapitel 6

Auf dem Schiff herrschte eine sehr ausgelassene und erwartungsvolle Stimmung. Die Soldaten strahlten Zuversicht aus, als ob sie auf dem Weg zu einem großartigen militärischen Picknick wären; es schien, als hätte keiner von ihnen auch nur die geringste Sorge. Während die Kavalleristen uns in den Boxen versorgten, scherzten und lachten sie, wie ich es bei ihnen noch nie gehört hatte. Und ihren Optimismus hatten wir dann auch bitter nötig, denn es wurde eine stürmische Überfahrt und viele von uns reagierten gereizt und ängstlich, als das Schiff im Meer heftig hin und her geworfen wurde. Einige traten gegen die Boxenwände und versuchten verzweifelt auszubrechen und Boden unter ihren Füßen zu finden, der nicht wegkippte und absackte, aber die Kavalleristen waren immer bei uns und beruhigten und trösteten uns.

Mich tröstete jedoch nicht Corporal Samuel Perkins, obwohl er kam, um mir während der schlimmsten Zeit den Kopf zu halten; denn selbst wenn er mich tätschelte, tat er es so gebieterisch, dass ich nicht das Gefühl hatte, er wolle mich tatsächlich besänftigen. Mich tröstete Topthorn, der die ganze Zeit über ruhig blieb. Er streckte seinen großen Kopf über die Boxenwand und ich durfte mich an seinen Hals schmiegen, während ich das beklemmende Rollen des Schiffes und den Lärm und die ungezügelte Panik der Pferde um mich herum zu verdrängen suchte.

Doch im Moment, da wir andockten, schlug die Stimmung um. Mit festem Boden unter den Hufen beruhigten sich die Pferde wieder, aber als wir an endlosen Reihen von Verwundeten vorbeischritten, die darauf warteten, an Bord des Schiffes zurück nach England zu kommen, wurden die Kavalleristen plötzlich still und niedergeschlagen. Wir verließen das Schiff und wurden am Kai entlang davongeführt. Captain Nicholls ging auf Kopfhöhe neben mir her und wandte den Blick hinaus zur See, damit keiner die Tränen in seinen Augen bemerken konnte. Überall waren Verwundete – auf Bahren, auf Krücken, in offenen Sanitätswagen, und jeder der Männer war gezeichnet von erbärmlichem Elend und Schmerz. Sie versuchten trotz allem ein munteres Gesicht zu machen, aber selbst die Witze und Scherze, die sie riefen, während wir vorbeigingen, waren durchtränkt mit Schwermut und Bitterkeit. Kein Feldwebel, kein feindliches Artilleriefeuer hätte eine Truppe so wirksam zum Schweigen bringen können wie dieser schreckliche Anblick, denn hier sahen die Männer zum ersten Mal mit eigenen Augen, was das für ein Krieg war, in den sie zogen, und es gab keinen Einzigen in der Schwadron, der darauf vorbereitet schien.

Sobald wir draußen auf dem flachen weiten Land waren, schüttelte die Schwadron ihre ungewöhnliche Verzagtheit ab, die wie ein Leichentuch auf ihr gelegen hatte. Die Männer sangen wieder in den Sätteln und lachten miteinander. Es sollte ein endloser Marsch durch den Staub werden, diesen ganzen Tag lang und auch die nächsten. Jede Stunde machten wir einmal für einige Minuten halt und dann ritten wir bis zur Dämmerung weiter, ehe wir in der Nähe eines Dorfes und immer an einem Bach oder Fluss das Lager aufschlugen. Die Männer kümmerten sich gut um uns während dieses Marsches, sie stiegen häufig ab und gingen neben uns her, damit wir uns erholen konnten. Doch am besten von allem waren die Eimer mit kaltem, durststillendem Wasser, die sie uns brachten, wenn wir an einem Fluss haltmachten. Mir fiel auf, dass Topthorn immer den Kopf im Wasser schüttelte, ehe er zu trinken anfing. Dabei spritzte er mir an seiner Seite kühlendes Wasser über Gesicht und Hals.

Bei den Manövern in England waren wir Pferde in langen Reihen aneinandergebunden worden, draußen auf offenem Feld. An das harte Leben im Freien waren wir also bereits gewöhnt. Aber jetzt war es kälter, wenn sich jeden Abend der feuchte Herbstnebel auf uns legte und uns dort draußen frieren ließ. Morgens und abends hatten wir reichlich zu fressen, eine großzügige Ration Getreide aus unseren Futterbeuteln, und wir grasten, wann immer wir konnten. Wie die Männer mussten wir lernen, uns so gut wie möglich vom Land zu ernähren.

Jede Stunde des Marsches brachte uns dem fernen Kanonendonner näher und in den Nächten erhellten jetzt orange Blitze den ganzen Horizont. Ich hatte das Knallen von Gewehren schon zu Hause bei den Kasernen gehört und es hatte mich nicht im Mindesten gestört, doch das anschwellende Grollen der großen Kanonen jagte mir Angstschauder über den Rücken und bescherte mir nachts aufreibende Albträume. Aber immer wenn mich die Geschütze aus dem Schlaf rissen, fand ich Topthorn neben mir, der mir Mut einflößte und Kraft spendete. Es war eine lange Feuertaufe für mich, aber ohne Topthorn hätte ich mich gewiss nie an die Kanonen gewöhnt. Als wir der Front immer näher kamen, hatte ich das Gefühl, der Zorn und die Gewalt des Donnergrollens zehrten heftig an meinen Kräften und meiner Zuversicht.

Während des Marsches gingen Topthorn und ich immer nebeneinanderher, denn Captain Nicholls und Captain Stewart wichen sich kaum einmal von der Seite. Die beiden schien ein anderer Geist zu beseelen als ihre kernigeren Offizierskameraden. Je besser ich Captain Nicholls kennenlernte, desto mehr mochte ich ihn. Er ritt mich, wie Albert mich geritten hatte, mit sanfter Hand und festem Griff der Knie, so dass er mir trotz seiner Größe – und er war ein großer Mann – immer leicht vorkam. Und nach einem langen Ritt hatte er stets ein warmes Wort des Dankes und der Aufmunterung für mich übrig. Er war zum

Glück ganz anders als Corporal Samuel Perkins, der mich in der Ausbildung so hart hergenommen hatte. Bisweilen erhaschte ich einen Blick auf ihn und bedauerte das Pferd, das er ritt.

Captain Nicholls sang und pfiff nicht, wie Albert es getan hatte, aber wenn wir allein waren, sprach er manchmal zu mir. Keiner, so schien es, wusste wirklich, wo der Feind war. Dass er voranmarschierte und wir auf dem Rückzug waren, stand außer Zweifel. Wir sollten versuchen sicherzustellen, dass der Feind nicht unsere Flanke umfasste – er sollte nicht zwischen uns und das Meer gelangen und die Flanke der gesamten britischen Expeditionsstreitkraft aufrollen. Aber die Schwadron musste den Feind, von dem keine Spur zu sehen war, erst einmal ausfindig machen. Tagelang durchstreiften wir das Land, bis wir schließlich eher zufällig auf ihn stießen – und dies war ein Tag, den ich nie vergessen werde, der Tag unseres ersten Gefechts.

Ein Gerücht ging durch die Truppenreihe, der Feind sei gesichtet worden, ein Infanteriebataillon auf dem Marsch. Sie waren keine zwei Kilometer von uns entfernt auf offenem Feld, vor unseren Blicken verborgen durch ein dichtes Eichenwäldchen entlang der Straße. Befehle ertönten: »Vorwärts! Angriffsreihe bilden! Säbel ziehen!« Im selben Moment griffen die Männer nach unten, rissen ihre Säbel aus den Scheiden und glänzender Stahl flackerte durch die Luft. Dann ließen die Kavalleristen die Säbel auf ihre Schultern sinken. »Schwadron, rechts um!«, lautete der Befehl und wir rückten in gestaffelter Linie in den Wald vor. Ich spürte, wie Captain Nicholls die Knie fest gegen mich presste und die Zügel lockerte. Sein Körper war steif und zum ersten Mal fühlte er sich schwer an auf meinem Rücken. »Ruhig, Joey«, sagte er leise. »Nur die Ruhe. Nur nicht aufregen. Wir kommen da ungeschoren wieder raus, mach dir keine Sorgen.«

Ich wandte mich zu Topthorn um; er war schon unter Spannung, bereit zum Galopp, der, wie wir wussten, gleich kommen würde. Instinktiv rückte ich näher an ihn heran, und dann, als das Horn erklang, stürmten wir aus dem Schatten des Waldes hinaus ins Sonnenlicht der Schlacht.

Das sachte Quietschen des Leders, das Klirren des Geschirrs und das Gebell der hastig erteilten Befehle wurden nun, da wir ins Tal hinunter dem Feind entgegengaloppierten, überdeckt vom Donnern der Hufe und von den Schreien der Reiter. Aus dem Augenwinkel sah ich Captain Nicholls' schweren Säbel glitzern. Ich spürte, wie er mir die Sporen gab, und hörte seinen Schlachtruf. Ich sah, wie die grauen Soldaten vor uns ihre Gewehre hoben, und hörte das tödliche Rattern eines Maschinengewehrs, und dann, ganz plötzlich, merkte ich, dass ich keinen Reiter mehr hatte, keine Last mehr auf dem Rücken trug, und dass ich allein und der Schwadron weit voraus war. Topthorn fehlte an meiner Seite, aber da Pferde hinter mir herliefen, wusste ich, dass ich nur in eine Richtung galoppieren konnte, und zwar nach vorn. Blinde Angst trieb mich und meine wehenden Steigbügel peitschten mich, bis ich rasend wurde. Da ich keinen Reiter zu tragen hatte, erreichte ich die

knienden Schützen als Erster, und als ich über sie her-
sprang, stoben sie davon.

Ich lief weiter, bis ich allein war, fernab vom Kampfge-
töse, und ich wäre niemals stehen geblieben, wenn Topthorn nicht plötzlich wieder neben mir gewesen wäre,
zusammen mit Captain Stewart, der sich zu mir herüber-
beugte, meine Zügel nahm und mich zum Schlachtfeld zurückführte.

Wir hatten gesiegt, hörte ich überall; aber im ganzen
Umkreis lagen tote und sterbende Pferde. Mehr als ein
Viertel der Schwadron war in diesem einen Gefecht verloren gegangen. Alles war so schnell und tödlich gewesen.
Eine Schar der grau uniformierten Soldaten war gefangen
genommen worden und sie drängten sich nun unter den
Bäumen zusammen, während die Schwadron sich neu for-
mierte und die Männer ausgelassen von ihrem Sieg sprachen, den sie eher zufällig als nach Plan errungen hatten.

Ich sah Captain Nicholls nie wieder und ich war schrecklich traurig darüber, denn er war ein gutherziger und
freundlicher Mann gewesen, der sein Versprechen gehalten
und sich gewissenhaft um mich gekümmert hatte. Wie ich
später erfahren sollte, gab es von diesen guten Männern
nur wenige auf der Welt. »Er wäre stolz auf dich gewesen,
Joey«, sagte Captain Stewart, als er mich mit Topthorn zu
den Pferdereihen zurückführte. »Er wäre stolz auf dich gewesen, wie unbeirrt du immer weiter vorangestürmt bist. Er
hat den Angriff geführt und ist dabei gefallen und du hast
ihn für ihn abgeschlossen. Er wäre stolz auf dich gewesen.«

Topthorn stand über mir in dieser Nacht, als wir am Rand des Waldes lagerten. Gemeinsam blickten wir hinaus über das mondbeschienene Tal und ich sehnte mich nach meinem Zuhause. Nur das gelegentliche Husten und Stampfen der Wachen durchbrach die Stille der Nacht. Endlich schwiegen die Kanonen. Topthorn sank neben mir zu Boden und wir schliefen ein.

Kapitel 7

Es war kurz nach dem Wecken am nächsten Morgen, wir stöberten in unseren Futterbeuteln nach den letzten Haferresten, als ich Captain Jamie Stewart an den Pferdereihen entlang auf uns zukommen sah. Ein junger Kavallerist in einem viel zu großen Feldmantel und mit einer Schirmmütze, den ich noch nie gesehen hatte, hinkte hinter ihm her. Mit seinem rosa Gesicht unter der Mütze wirkte er knabenhaft und ich musste schlagartig an Albert denken. Ich spürte, dass ich ihn nervös machte, denn er näherte sich nur zögernd und widerstrebend.

Captain Stewart kraulte Topthorn an den Ohren und strich ihm über die weiche Schnauze, was er morgens immer als Erstes tat, dann streckte er die Hand nach mir aus und tätschelte sanft meinen Hals. »Nun, Kavallerist Warren, hier ist er«, sagte Captain Stewart. »Kommen Sie näher, Kavallerist, er beißt nicht. Das ist Joey. Dieses Pferd gehörte dem besten Freund, den ich je hatte, also gehen Sie pfleglich mit ihm um, verstanden?« Sein Ton war streng, aber nicht ohne Gefühl.»Und ich werde Sie jetzt ständig im Auge behalten, Kavallerist, denn diese beiden Pferde sind nicht auseinanderzukriegen. Das sind die beiden besten in der ganzen Schwadron und sie wissen es.« Er trat näher und hob mein Stirnhaar hoch. »Joey«, flüsterte er. »Du kümmerst dich um ihn. Er ist noch ein junger Bursche und dieser Krieg hat ihm schon übel mitgespielt.«

Als die Schwadron an diesem Morgen aus dem Wald hinausmarschierte, musste ich mich also damit abfinden, dass ich nicht mehr neben Topthorn gehen konnte wie unter Captain Nicholls, sondern nun zur einfachen Truppe gehörte, die den Offizieren in einer langen Reiterreihe folgte. Doch immer wenn wir haltmachten, um zu essen oder zu trinken, führte mich Kavallerist Warren eilig dorthin, wo Topthorn stand, damit wir zusammen sein konnten.

Kavallerist Warren war kein guter Reiter – das spürte ich schon, als er zum ersten Mal auf mich stieg. Er ritt hölzern und hing schwer im Sattel wie ein Sack Kartoffeln. Er hatte weder die Erfahrung und Sicherheit von Corporal Perkins noch die Finesse und das Einfühlungsvermögen von Captain Nicholls. Er schaukelte ungelenk im Sattel hin und her und ritt mich immer mit zu festem Zügel, so dass ich gezwungen war dauernd mit dem Kopf zu schlagen, um ihn zu lockern. Doch kaum war er aus dem Sattel gestiegen, war er der freundlichste Mensch. Er pflegte mich sehr umsichtig und wohlwollend und versorgte rasch meine vielen schmerzenden, vom Sattel wunden und aufgescheuerten Stellen, für die ich besonders anfällig war. Er kümmerte sich um mich, wie kein anderer es je getan hatte, seit ich mein Zuhause verlassen hatte. Es war diese liebevolle Zuwendung, die mich während der nächsten Monate am Leben halten sollte.

In diesem ersten Kriegsherbst gab es ein paar kleinere Scharmützel, aber wie Captain Nicholls vorausgesagt hatte, wurden wir immer seltener als Kavallerie eingesetzt und immer häufiger als Transportpferde für die berittene Infanterie. Sobald wir auf den Feind stießen, saß die Schwadron ab, zog die Gewehre aus den Schäften und ließ die Pferde unter der Obhut einiger Soldaten in Deckung zurück. So wurden wir selbst nie in irgendwelche Kämpfe verwickelt, sondern hörten nur das ferne Knallen der Karabiner und das Rattern der Maschinengewehre. Wenn die Truppe zurückkam und die Schwadron weiterzog, waren immer ein oder zwei Pferde mehr ohne Reiter.

Mir schien es, als würden sich die Stunden und Tage des Marsches endlos dahinziehen. Dann brauste plötzlich ein Motorrad durch den Staub an uns vorbei, Befehle wurden gebellt und der schrille Ruf der Hörner ertönte; die Schwadron schwenkte von der Straße ab und zog erneut ins Gefecht.

Während dieser langen, erschöpfenden Märsche und während der kalten Nächte, die darauf folgten, fing Kavallerist Warren an zu mir zu sprechen. Er erzählte mir, dass in dem Gefecht, in dem Captain Nicholls gefallen war, sein Pferd unter ihm weggeschossen worden war und dass er nur ein paar Wochen zuvor noch bei seinem Vater das Schmiedehandwerk gelernt hatte. Dann war der Krieg ausgebrochen. Er hatte sich eigentlich nicht freiwillig melden wollen, aber der Gutsherr im Dorf hatte mit seinem Vater gesprochen, und dem Vater, der sein Haus und seine Schmiede vom Gutsherrn gepachtet hatte, blieb keine andere Wahl, als ihn in den Krieg zu schicken. Und da er mit Pferden aufgewachsen war, meldete er sich zur Kavallerie. »Ich sag dir eins, Joey«, meinte er eines Abends, als er mir die Hufe auskratzte, »ich sag dir, nach diesem ersten Gefecht hätte ich nie gedacht, dass ich je wieder auf einem Pferd sitzen würde. Das Merkwürdige daran ist, Joey, dass es nicht das Schießen war, irgendwie hat mich das nicht gestört; es war nur die Vorstellung, wieder ein Pferd zu reiten, die mir höllische Angst gemacht hat. Kaum zu glauben, was? Wo ich doch ein Schmied bin, nicht wahr? Wie auch immer, jetzt bin ich drüber weg und das hab ich dir zu verdanken, Joey. Hast mir mein Selbstvertrauen wiedergegeben. Mir ist, als ob ich Bäume ausreißen könnte. Fühl mich wie einer von diesen gepanzerten Rittern, wenn ich auf dir sitze.«

Dann kam der Winter und es begann in Strömen zu regnen. Zuerst war der Regen erfrischend und eine willkommene Abwechslung vom Staub und von den Fliegen, aber bald verwandelten sich die Felder und Wege unter uns in Schlamm. Die Schwadron konnte nicht mehr im Trockenen lagern, denn es gab nur wenig Unterstände und so waren Soldaten und Pferde ständig nass bis auf die Haut. Es gab wenig oder überhaupt keinen Schutz gegen den peitschenden Regen und nachts standen wir nun bis über die Fesseln in kaltem, bis auf die Knochen dringendem Morast. Doch Kavallerist Warren kümmerte sich aufopfernd um mich, suchte mir, wo und wann immer er konnte, einen trockenen Platz, rieb mich mit trockenen Strohbüscheln ein wenig warm, wenn er welche auftreiben konnte, und sorgte dafür, dass ich immer eine ordentliche Ration Hafer in meinem Futterbeutel hatte, um mich bei Kräften zu halten. Die Wochen vergingen und allmählich bekamen alle mit, wie stolz er auf meine Kraft und Ausdauer war und wie sehr ich ihn mochte. Wenn er mich doch nur noch hegen und pflegen würde, dachte ich, und ein anderer mich reiten könnte!

Mein Soldat Warren redete ziemlich häufig über den Kriegsverlauf. Wir würden bald in Reservelager hinter unseren Linien zurückgezogen werden, sagte er. Die Armeen hatten sich anscheinend mit ihrem Trommelfeuer gegenseitig lahmgelegt und sich im Schlamm eingegraben. Die Unterstände waren bald zu langen Gräben geworden und die Gräben hatten sich gekreuzt und liefen nun im Zickzack quer durchs ganze Land, vom Meer bis zur Schweiz. Im Frühjahr, so sagte er, würden wir wieder gebraucht, um das Patt zu brechen. Die Kavallerie würde man dann dort hinschicken, wo die Infanterie nicht hinkam, und sie sei schnell genug, um die Gräben zu überrennen. Wir würden der Infanterie zeigen, wie man das macht. Doch zunächst müssten wir den Winter überleben, bis der Boden wieder hart genug sei, um die Kavallerie wirksam einzusetzen.

Topthorn und ich schützten uns in diesem Winter, so gut

wir konnten, gegenseitig vor dem Schnee und den Graupel-schauern, während wir die Geschütze hörten, wie sie nur einige Kilometer entfernt Tag und Nacht unablässig auf-einander losdonnerten. Wir sahen muntere Soldaten unter ihren Stahlhelmen lächelnd zur Front marschieren, pfei-fend und singend und scherzend, und wir sahen, wie sich ihre Überreste verhärmt und stumm in ihren tropfenden Feldmänteln durch den Regen zurückschleppten.

Manchmal erhielt Kavallerist Warren einen Brief von zu Hause und er las ihn mir vor, behutsam flüsternd, damit niemand sonst ihn hören konnte. Die Briefe stammten alle von seiner Mutter und darin stand immer das Gleiche.

»Mein lieber Charlie«, las er. »Dein Vater hofft, dass es Dir gut geht, und auch ich hoffe es. Wir haben Dich an Weihnachten vermisst – der Tisch in der Küche kam uns ohne Dich leer vor. Aber Dein kleiner Bruder hilft, wenn er kann, bei der Arbeit, und Vater sagt, er macht sich gut, obwohl er noch ein bisschen klein ist und nicht stark genug, um die Pferde der Bauern fest zu halten. Minnie Whittle, die alte Witwe vom Hanniford-Hof, ist letzte Woche im Schlaf gestorben. Sie war achtzig, also kann sie sich nicht beschweren, obwohl sie das bestimmt tun würde, wenn sie nur könnte. Sie war immer so furchtbar mä-kelig, weißt Du noch? Nun, mein Sohn, das ist so ziemlich alles an Neuigkeiten. Deine Sally aus dem Dorf schickt Dir liebe Grüße, ich soll Dir ausrichten, dass sie Dir bald schreibt. Pass auf Dich auf, lieber Junge, und komm bald nach Hause.

Deine Dich liebende Mutter«

»Sally wird aber nicht schreiben, Joey, weil sie es gar nicht kann, nicht gut jedenfalls. Doch sobald dieser Schlamassel hier endgültig vorbei ist, geh ich nach Hause zurück und heirate sie. Ich bin mit ihr zusammen aufgewachsen, Joey, wir kennen uns schon von klein auf. Schätze, ich kenn sie so gut wie mich selbst, und ich mag sie noch viel mehr.«

Kavallerist Warren linderte die schreckliche Eintönigkeit dieses Winters. Er heiterte mich auf und ich merkte, dass auch Topthorn sich über jeden Besuch freute, den er bei uns Pferden machte. Dabei wusste er gar nicht, wie gut er uns tat. In diesem elenden Winter kamen viele Pferde ins Tierhospital und sie kehrten nicht mehr zurück. Wie alle unsere Artgenossen in der Armee waren auch wir wie Jagdpferde geschoren, so dass unser ganzer Unterleib dem Schlamm und dem Regen ausgesetzt war. Die Schwächeren von uns, die kaum Widerstandskräfte hatten, litten darunter zuerst und es ging rasch mit ihnen bergab. Aber Topthorn und ich kamen bis ins Frühjahr durch; er überstand einen schweren Husten, der seine ganze massige Gestalt schüttelte, als ob er ihm das Leben aus dem Körper reißen wollte. Captain Stewart rettete ihn, indem er ihn mit heißem Futterbrei aufpäppelte und ihn im schlimmsten Wetter, so gut er konnte, in Decken hüllte.

Und dann, in einer eiskalten Nacht Anfang Frühjahr, der Raureif lag noch auf unseren Rücken, kamen die Kavalleristen unerwartet früh zu den Pferden. Es war vor Morgengrauen. In dieser Nacht hatte die schwere Artillerie unablässig gefeuert. Im Lager herrschte ungewöhnliche Hektik und Aufregung. Dies war keine der Routineübungen, an die wir uns schon gewöhnt hatten. Die Kavalleristen kamen in voller Montur zu uns, mit jeweils zwei Patronengurten, mit Provianttasche und Gasmaskenbüchse, Gewehr und Säbel. Wir wurden gesattelt und leise aus dem Lager hinaus auf die Straße geführt. Die Soldaten sprachen von der kommenden Schlacht, und alle Enttäuschung und der ganze Ärger darüber, dass wir zum Nichtstun gezwungen gewesen waren, verschwand, als sie in den Sätteln zu singen anfingen. Auch mein Reiter Warren schmetterte aus voller Kehle mit. Im kalten Grau der Nacht stieß die Schwadron in den Trümmern eines kleinen zerstörten Dorfes, das nur von Katzen bevölkert war, zum Regiment und dort warteten wir eine Stunde, bis das fahle Licht der Morgendämmerung über den Horizont kroch. Noch immer brüllten die Kanonen zornig und der Boden erzitterte unter uns. Wir kamen an den Feldlazaretten und an den leichten Geschützen vorbei, und dann stiegen wir über die Versorgungsgräben und sahen zum ersten Mal das Schlachtfeld. Rundum herrschte Elend und Zerstörung. Nicht ein einziges Gebäude war heil geblieben. Kein Grashalm wuchs mehr in dem aufgerissenen und zerwühlten Boden. Der Gesang um mich herum verstummte und wir zogen tiefer hinein in die unheilvolle Stille und über die Gräben, in denen sich die Männer, die Bajonette an die Gewehre geschnallt, dicht aneinanderdrängten. Gelegentlich rief uns jemand aufmunternd zu, wenn wir auf den Planken über die Gräben trotteten, in die Einöde des Niemandslandes, in diese Einöde

aus Stacheldraht und Granattrichtern und dem schrecklichen Unrat des Krieges. Plötzlich hörten die Kanonen auf,
über unsere Köpfe hinwegzufeuern. Wir waren nun jenseits des Stacheldrahtverhaus. Die Schwadron schwärmte
in einer breiten, unregelmäßigen Staffel aus und das Horn
ertönte. Ich spürte, wie die Sporen mir in die Flanken bis-
sen, und schloss zu Topthorn auf. Dann trabten wir los.

»Mach mir Ehre, Joey«, sagte Kavallerist Warren und
zog seinen Säbel. »Mach mir Ehre.«

Kapitel 8

Nur wenige Augenblicke rückten wir im Trab vor, wie wir es in der Ausbildung gelernt hatten. In der unheimlichen Stille des Niemandslandes war nichts zu hören außer dem Klirren des Geschirrs und dem Schnauben der Pferde. Wir suchten uns einen Weg um die Krater herum und hielten unsere Angriffslinie, so gut es ging. Vor uns, auf einem sanft ansteigenden Hügel, waren die zerschossenen Überreste eines Waldes zu sehen und knapp darunter eine monströse rostige Spirale aus Stacheldraht, die sich, so weit das Auge reichte, über den Horizont erstreckte.

»Stacheldraht«, hörte ich Reiter Warren mit zusammengebissenen Zähnen flüstern. »Mein Gott, Joey, man hat uns gesagt, der wär nicht mehr da, die Kanonen hätten den Draht zerschossen. O mein Gott!«

Wir ritten jetzt in kurzem Galopp und noch immer war von einem Feind nichts zu hören und nichts zu sehen. Die Reiter brüllten dem unsichtbaren Gegner zu und schmiegten sich, die Säbel nach vorne gestreckt, an die Hälse ihrer

Pferde. Ich fiel in einen schnelleren Galopp, um mit Top-thorn gleichauf zu bleiben, und in diesem Moment schlu-gen die ersten furchtbaren Granaten zwischen uns ein und die Maschinengewehre begannen zu feuern. Das Getüm-mel der Schlacht hatte begonnen. Rund um mich her wurde gebrüllt, Männer stürzten zu Boden, Pferde bäumten sich auf und schrien vor Angst und Schmerz in ihrem Todes-kampf. Rechts und links von mir brach die Erde auf und schleuderte Pferde und Reiter regelrecht in die Luft. Über unseren Köpfen heulten und donnerten die Granaten, jede Explosion kam uns wie ein Erdbeben vor. Aber die Schwad-ron galoppierte unerbittlich weiter auf den Stacheldrahtver-hau unterhalb der Hügelkuppe zu, und ich mit ihr.

Kavallerist Warren hielt mich mit eisernen Knien im Griff. Einmal strauchelte ich und spürte, wie er einen Steig-bügel verlor, und ich bremste meinen Galopp, damit er ihn wiederfinden konnte. Topthorn war immer noch vor mir, mit hoch erhobenem Kopf, und schlug mit dem Schweif hin und her. Ich spürte frische Kraft in den Beinen und preschte ihm nach. Kavallerist Warren sprach laute Gebete, doch als er das Gemetzel um sich herum sah, wurden sie bald zu Flüchen. Nur wenige Pferde erreichten den Draht, darunter Topthorn und ich. Tatsächlich hatte unser Gra-natfeuer einige Löcher in den Draht gesprengt. Manche von uns fanden einen Weg hindurch und wir standen end-lich vor den feindlichen Gräben. Aber sie waren leer. Das Feuer kam nun von weiter oben, aus den Bäumen heraus. Die Schwadron, oder was von ihr übrig war, sammelte sich erneut zum Angriff und galoppierte hoch zum Wald, wo sie auf einen im Gehölz verborgenen Stacheldrahtverhau stieß. Einige Pferde konnten nicht mehr gestoppt werden, sie liefen direkt in den Draht und verfingen sich, während ihre Reiter fieberhaft versuchten sie wieder herauszuziehen. Ich beobachtete, wie ein Kavallerist entschlossen abstieg, als ihm klar war, dass sein Pferd in der Falle saß. Er zog sein Gewehr und erschoss das Pferd, ehe er selbst tot über dem Stacheldraht zusammenbrach. Ich wusste sofort, dass es keinen Weg hindurch gab, wir konnten den Draht nur im Sprung nehmen, und als ich Topthorn und Captain Stewart an einer niedrigen Stelle darüberspringen sah, folgte ich ihnen. Nun fanden wir uns endlich inmitten des Feindes. Hinter jedem Baum, aus allen Gräben rundum, so schien es, kamen sie mit ihren Pickelhauben zum Gegenangriff hervor. Sie stürmten an uns vorbei, ohne auf uns zu achten, bis wir uns von einer ganzen Kompanie Soldaten umringt sahen, deren Gewehre auf uns gerichtet waren.

Das dumpfe Krachen der Granaten und das Knattern der Gewehre waren schlagartig verstummt. Ich blickte mich nach dem Rest der Schwadron um, doch wir waren allein. Hinter uns galoppierten die reiterlosen Pferde, alles, was von unserer stolzen Kavallerieschwadron übrig geblieben war, zurück zu unseren Gräben und der Hang unter mir war übersät mit Toten und Sterbenden.

»Werfen Sie Ihren Säbel weg, Kavallerist«, sagte Captain Stewart, bückte sich im Sattel und ließ seinen Säbel zu Boden fallen. »Genug für heute mit dem sinnlosen Gemetzel.

Weitermachen hat keinen Zweck.« Er ließ Topthorn im Schritt auf uns zugehen und nahm dann die Zügel an. »Ich habe Ihnen einmal gesagt, wir hätten die besten Pferde in der ganzen Schwadron, Kavallerist, und heute haben sie uns gezeigt, dass sie die besten Pferde im ganzen Regiment sind, in der ganzen verdammten Armee – und nicht mal einen Kratzer haben sie abbekommen.« Er saß ab, als die deutschen Soldaten sich näherten, und Kavallerist Warren folgte ihm. Sie standen Seite an Seite und hielten uns an den Zügeln, während die anderen uns umzingelten. Wir blickten zurück den Hang hinunter auf das Schlachtfeld. Ein paar Pferde quälten sich immer noch im Stacheldraht, doch eins nach dem anderen wurde von den vorrückenden deutschen Infanteristen von seinem Elend erlöst, die nun ihre Linie wieder eingenommen hatten. Dies waren die letzten Schüsse der Schlacht.

»Welche Verschwendung«, sagte der Captain. »Welch ungeheure Verschwendung. Vielleicht verstehen die jetzt, wenn sie das sehen, dass man keine Pferde in den Stacheldraht und ins Maschinengewehrfeuer schicken darf. Vielleicht denken sie jetzt noch mal nach.«

Die Soldaten ringsum wirkten misstrauisch und hielten sich auf Distanz. Offenbar wussten sie nicht recht, was sie mit uns anfangen sollten. »Die Pferde, Sir?«, fragte Kavallerist Warren. »Joey und Topthorn, was passiert jetzt mit ihnen?«

»Dasselbe wie mit uns, Kavallerist«, sagte Captain Stewart. »Sie sind Kriegsgefangene, genau wie wir.«

Flankiert von Soldaten, die kaum ein Wort sprachen, wurden wir über die Hügelkuppe hinunter in ein Dorf auf der anderen Seite geführt. Hier war das Tal noch grün, denn um dieses Gebiet war noch nicht gekämpft worden. Die ganze Zeit über hielt mir Kavallerist Warren den Arm auf den Hals gelegt, um mich zu beruhigen, und nun spürte ich, dass er sich von mir verabschieden wollte.

Er sprach leise in mein Ohr. »Dahin, wo ich jetzt hinkomme, lassen sie dich nicht mitgehen, Joey, glaub das bloß nicht. Ich wünschte, es wäre möglich, doch das können sie nicht machen. Aber ich werde dich nie vergessen. Das versprech ich dir.«

»Machen Sie sich keine Sorgen, Kavallerist«, sagte Captain Stewart. »Die Deutschen lieben ihre Pferde mindestens genauso wie wir. Die werden schon für sie sorgen. Außerdem wird Topthorn auf Ihren Joey aufpassen – darauf können Sie sich verlassen.«

Als wir zwischen den Bäumen hervorkamen und auf die Straße unter dem Wald gelangten, befahlen uns die Bewacher stehen zu bleiben. Captain Stewart und Kavallerist Warren wurden die Straße entlang zu einer Ansammlung von zerstörten Gebäuden geführt, offenbar den Überresten eines Dorfes, Topthorn und ich dagegen über die Felder und weiter ins Tal hinein. Zeit für einen langen Abschied blieb nicht – sie strichen uns nur noch einmal kurz über die Schnauze, dann wandten sie sich ab. Während sie davongingen, legte Captain Stewart den Arm um Kavallerist Warrens Schulter.

Kapitel 9

Zwei nervöse Soldaten führten uns davon, über Feldwege, Obstwiesen und über eine Brücke, und banden uns schließlich einige Kilometer von der Stelle, an der wir in Gefangenschaft geraten waren, bei einem Lazarettzelt an. Sofort scharte sich ein Haufen verwundeter Soldaten um uns. Während sie uns das Fell tätschelten und streichelten, begann ich ungeduldig mit dem Schweif zu schlagen. Ich war hungrig und durstig und zornig, weil sie mich von Kavallerist Warren getrennt hatten.

Es schien immer noch niemand so recht zu wissen, was sie mit uns anfangen sollten, bis ein Offizier in einem langen grauen Mantel mit einem Verband um den Kopf aus dem Zelt trat. Es war ein sehr groß gewachsener Mann, der alle im Umkreis um einen ganzen Kopf überragte. Seine Art zu gehen und seine ganze Haltung ließen erkennen, dass er es gewohnt war, Befehle zu erteilen. Über einem Auge hatte er eine Binde, so dass nur die Hälfte seines Gesichts zu sehen war. Als er näher kam, merkte ich, dass er humpelte; ein Fuß war dick bandagiert und er musste sich auf einen Stock stützen. Die Soldaten wichen jäh vor ihm zurück und nahmen stramme Haltung an. Er musterte uns beide mit unverhohlener Bewunderung, schüttelte den Kopf und seufzte. Dann wandte er sich an die Männer. »Hunderte von denen liegen da draußen tot in unserem Stacheldraht. Eins sage ich Ihnen, wenn wir auch nur eine Spur vom Schneid dieser Pferde gehabt hätten, dann ständen wir jetzt schon in Paris und würden nicht hier draußen im Schlamm auf der faulen Haut liegen. Diese beiden Pferde sind durch die Hölle gegangen, um hierherzukommen – und sie sind die einzigen, die es geschafft haben. Es war nicht ihre Schuld, dass man sie umsonst durch die Hölle geschickt hat. Das sind keine Zirkustiere, das sind Helden, verstanden? Helden, und so müssen sie auch behandelt werden. Und Sie stehen hier herum und glotzen sie an. Keiner von Ihnen ist schwer verwundet und der Arzt ist viel zu beschäftigt, um sich im Augenblick um Sie zu kümmern. Diese Pferde werden daher unverzüglich abgesattelt, trocken gerieben, gefüttert und getränkt. Sie brauchen Hafer und Heu und jeweils eine Decke, und jetzt Beeilung!«

Die Soldaten zerstreuten sich hastig in alle Richtungen und ein paar Minuten später überhäuften sie Topthorn und mich mit allerlei unbeholfenen Freundlichkeiten. Mir schien, als hätte keiner der Männer es je mit einem Pferd zu tun gehabt, doch das störte uns nicht, so dankbar waren wir für all das Futter und für das Wasser, das sie uns brachten. An diesem Morgen fehlte es uns an nichts und der große Offizier, der auf seinen Stock gestützt unter den Bäumen stand, hatte immer ein wachsames Auge auf uns. Gelegentlich kam er herüber, fuhr uns mit der Hand über den Rücken und die Kruppe, nickte anerkennend und belehrte seine Männer über die Feinheiten der Pferdezucht, während er uns prüfend musterte. Einige Zeit später kam ein Mann in weißem Kittel aus dem Zelt, mit zerzaustem Haar und das Gesicht bleich vor Erschöpfung, und trat zu ihm. Er hatte Blut auf dem Kittel.

»Herr Hauptmann, das Hauptquartier hat wegen der Pferde angerufen«, sagte der Mann in Weiß. »Ich soll sie behalten für den Verwundetentransport. Ich weiß, was Sie darüber denken, Hauptmann, aber leider können Sie die Pferde nicht haben. Wir brauchen sie dringend hier, und wie es aussieht, fürchte ich, benötigen wir noch mehr. Das war nur der erste Angriff – weitere werden folgen. Wir erwarten eine anhaltende Offensive – das wird eine lange Schlacht. Es ist auf beiden Seiten das Gleiche, sobald wir etwas angefangen haben, müssen wir offenbar etwas beweisen und das kostet Zeit und Leben. Um die Verwundeten zu transportieren, brauchen wir alles, was wir bekommen können, motorisiert oder mit Pferden.«

Der Offizier richtete sich hell empört zu seiner ganzen Größe auf. Es war ein beeindruckender Anblick, wie er auf den Mann im weißen Kittel losging. »Doktor, Sie können doch nicht erstklassige britische Pferde vor einen Sanitätskarren spannen! Jedes unserer Kavallerieregimenter, selbst mein eigenes Ulanenregiment, wäre stolz, ja überglücklich, wenn es derart edle Tiere in seinen Reihen hätte. Das können Sie nicht tun, Doktor, ich werde das nicht zulassen.«

»Herr Hauptmann«, sagte der Arzt geduldig, offenbar nicht im Geringsten eingeschüchtert. »Glauben Sie wirklich, dass nach dem Wahnsinn heute Morgen auch nur eine Seite jemals wieder Kavallerie in diesem Krieg einsetzt? Verstehen Sie nicht, dass wir Transportmittel brauchen, Herr Hauptmann? Und zwar sofort. Dort draußen in den Gräben liegen Männer auf Bahren, tapfere Männer, Deutsche und Engländer, und gegenwärtig haben wir nicht genügend Fuhrwerke, um sie hierher ins Lazarett zu bringen. Wollen Sie die vielleicht alle sterben lassen, Herr Hauptmann? Sagen Sie mir das. Wollen Sie, dass alle sterben? Wenn diese Pferde vor einen Karren gespannt werden, dann können sie Dutzende Verwundete bergen. Wir haben einfach nicht genug Sanitätsfahrzeuge, und was wir haben, bricht zusammen oder bleibt im Schlamm stecken. Bitte, Herr Hauptmann. Wir brauchen Ihre Hilfe.«

»Die Welt«, sagte der deutsche Offizier kopfschüttelnd, »die Welt ist völlig verrückt geworden. Wenn man so feine Geschöpfe zu Lasttieren macht, dann ist die Welt verrückt geworden. Aber ich sehe es ein, Sie haben Recht. Ich komme von den Ulanen, Herr Doktor, aber selbst ich weiß, dass Menschen wichtiger sind als Pferde. Sehen Sie zu, dass Sie diese zwei hier jemandem anvertrauen, der sich mit Pferden auskennt – nicht dass irgendein Mechaniker mit schmutzigen Fingern sie in die Hände kriegt. Und Sie müssen den Leuten sagen, dass es sich um Reitpferde handelt. Dass sie Karren ziehen müssen, wird ihnen überhaupt nicht schmecken, da mag der Zweck noch so gut sein.«

»Danke, Herr Hauptmann«, sagte der Arzt. »Das ist sehr freundlich von Ihnen, aber ich habe ein Problem. Sie werden mir sicher zustimmen, dass man für den Umgang mit diesen Pferden zunächst einen richtigen Fachmann braucht, vor allem, weil sie noch nie einen Karren gezogen haben. Das Problem ist, wir haben hier nur Sanitäter. Sicher, einer von ihnen hat vor dem Krieg auf einem Hof mit Pferden gearbeitet; aber um ehrlich zu sein, Herr Hauptmann, ich habe keinen, der mit den beiden zurechtkommen würde – keinen außer Ihnen. Sie sollen mit dem nächsten Sanitätskonvoi ins Armeehospital kommen, aber die werden nicht vor heute Abend hier sein. Ich weiß, es ist viel verlangt von einem Verwundeten, aber Sie sehen ja, in welch verzweifelter Lage ich bin. Der Bauer dort unten hat ein paar Karren und ich denke mal, auch alles an Geschirr, das Sie brauchen würden. Was meinen Sie, Herr Hauptmann? Können Sie mir helfen?«

Der bandagierte Offizier humpelte zu uns zurück und strich uns zärtlich über die Nasen. Dann lächelte er und nickte. »Nun gut. Es ist ein Frevel, Doktor, ein Frevel«, sagte er. »Aber wenn es sein muss, dann nehme ich die Sache lieber selbst in die Hand und sehe zu, dass alles richtig gemacht wird.«

Also wurden Topthorn und ich noch am Nachmittag unserer Gefangennahme nebeneinander vor einen alten Heuwagen gespannt und unter dem Befehl des Offiziers trieben uns zwei Sanitäter durch den Wald, von neuem auf den Geschützdonner und die Verwundeten zu, die auf uns warteten. Topthorn war ständig furchtbar aufgeregt, denn natürlich hatte er noch nie im Leben als Zugpferd herhalten müssen. So konnte endlich ich ihm einmal helfen, ihn anleiten, seine mangelnde Erfahrung ausgleichen und ihn beruhigen. Zu Anfang führte uns der Offizier, der mit seinem Stock neben mir herhumpelte, aber bald war er sich unser so sicher, dass er zu den beiden Sanitätern auf den Karren kletterte und die Zügel übernahm. »Du hast das schon mal eine Zeit lang gemacht, mein Freund«, sagte er. »Das seh ich dir an. Ich hab immer gewusst, dass die Engländer verrückt sind. Jetzt, da ich weiß, dass sie Pferde wie dich als Kutschgäule einsetzen, bin ich mir ziemlich sicher. Darum geht es in diesem Krieg, mein Freund. Es geht darum, wer von uns verrückter ist. Und ihr Engländer habt eindeutig mit einem Vorsprung angefangen. Ihr wart schon vorher verrückt.«

Den ganzen Nachmittag und Abend, während die Schlacht tobte, stapften wir hoch zu den Linien, luden die Verletzten auf und brachten sie ins Feldlazarett. Hin und zurück ging es über mehrere Kilometer auf Straßen und Wegen, die voller Granatlöcher und mit toten Männern und Maultieren übersät waren. Das Trommelfeuer beider Artillerien ließ niemals nach. Den ganzen Tag über donnerte es über unseren Köpfen, die Armeen hetzten ihre Soldaten über das Niemandsland aufeinander los und die

Verwundeten, die gehen konnten, strömten über die Straßen zurück. Diese grauen Gesichter, die unter ihren Helmen hervorblickten, hatte ich irgendwo schon einmal gesehen. Nur die Uniformen waren anders – sie waren nun grau mit rotem Streifen – und die Soldaten trugen auch keine runden Helme mit breitem Rand.

Es war fast Nacht, als der große Offizier uns schließlich allein ließ und uns und dem Arzt zum Abschied hinten vom Sanitätskarren herunterwinkte, der über das Feld davonrumpelte. Der Arzt wandte sich an die Sanitäter, die uns den ganzen Tag begleitet hatten. »Sehen Sie zu, dass man sich gut um die beiden hier kümmert«, sagte er. »Die haben heute das Leben tapferer Männer gerettet, diese zwei – das von tapferen deutschen und tapferen englischen Männern. Sie haben die beste Pflege verdient. Sorgen Sie dafür, dass sie die bekommen.«

Zum ersten Mal, seit wir in den Krieg gezogen waren, durften Topthorn und ich in dieser Nacht in einem bequemen Stall schlafen. Auf dem Bauernhof, der auf der anderen Seite der Felder in der Nähe des Lazaretts lag, mussten die Schweine und Hühner aus dem Schuppen ausziehen, und als wir dort hineingeführt wurden, warteten schon ein reichlich gefüllter Schober mit süßem Heu und ein Eimer voll durststillendem kaltem Wasser auf uns.

Nachdem wir an diesem Abend unser Heu gefressen hatten, legten Topthorn und ich uns gemeinsam hinten im Schuppen nieder. Ich war halb wach und konnte an nichts weiter als an meine schmerzenden Muskeln und wunden

Füße denken. Plötzlich ging knarrend die Tür auf und der Stall war in ein flackerndes rötliches Licht getaucht. Hinter dem Licht waren Schritte. Wir blickten auf und mich überkam sofort ein Gefühl der Panik. Einen kurzen Moment lang schien mir, als wäre ich wieder zu Hause im Stall bei der alten Zoey. Das tanzende Licht versetzte mich in helle Aufregung, es erinnerte mich schlagartig an Alberts Vater. Im Nu war ich auf den Beinen und wich vor dem Licht zurück und Topthorn kam an meine Seite, um mich zu schützen. Doch als ich dann jemand sprechen hörte, war es nicht die krächzende, lallende Stimme von Alberts Vater im Rausch, sondern der leise, sanfte Klang einer Mädchenstimme, der eines jungen Mädchens. Jetzt konnte ich hinter dem Licht zwei Menschen erkennen, einen alten Mann, einen gebückten alten Mann in grober Kleidung und Holzschuhen, und neben ihm ein junges Mädchen, das Kopf und Schultern in einen Schal gehüllt hatte.

»Da sind sie, Großvater«, sagte sie. »Ich hab dir doch gesagt, dass die Männer sie hier reingestellt haben. Hast du schon mal etwas so Schönes gesehen? Oh, darf ich sie haben, Großvater? Bitte, darf ich sie haben?«

Kapitel 10

Wenn es möglich ist, mitten in einem Albtraum glücklich zu sein, dann waren Topthorn und ich in jenem Sommer glücklich. Tag für Tag mussten wir den gleichen gefährlichen Weg zur Front gehen, die sich, obwohl fast dauernd Offensiven und Gegenoffensiven geführt wurden, immer nur um ein paar Hundert Meter in die eine oder andere Richtung verschob. Während wir unseren Sanitätskarren mit Sterbenden und Verwundeten von den Schützengräben ins Hinterland zogen, wurden wir bald für alle entlang dem zerbombten Weg zu einem vertrauten Anblick. Nicht selten kam es vor, dass uns vorbeimarschierende Soldaten freundliche Worte zuriefen. Einmal, als wir schon zu müde waren, um noch Angst zu empfinden, stapften wir durch ein verheerendes Granatfeuer, das die Straße vor und hinter uns eingabelte. Da kam einer der Soldaten mit blut- und schlammbespritzter Feldjacke auf uns zu, warf mir den Arm um den Hals und küsste mich.

»Danke, mein Freund«, sagte er. »Ich hätte nie gedacht,

dass sie uns aus diesem Höllenloch rausholen. Das hier hab ich gestern gefunden und eigentlich wollte ich es selbst behalten, aber jetzt weiß ich, wo es hingehört.« Und er streckte die Arme aus und hängte ein schlammverkrustetes Band um meinen Hals. An ihm baumelte ein Eisernes Kreuz. »Das musst du mit deinem Freund teilen«, sagte er. »Es heißt, ihr wärt beide aus England. Ich wette, ihr seid die ersten Engländer in diesem Krieg, die das Eiserne Kreuz bekommen, und wenn mich nicht alles täuscht, auch die letzten.« Die Verwundeten, die vor dem Lazarettzelt warteten, klatschten Beifall und jubelten uns lauthals zu, worauf Ärzte, Schwestern und Patienten aus dem Zelt gerannt kamen, um nachzusehen, was es mitten in all diesem Elend zu klatschen gab.

Sie hängten das Eiserne Kreuz an einen Nagel vor unserer Stalltür. An den seltenen ruhigen Tagen, an denen das Granatfeuer verstummte und wir nicht für die Front benötigt wurden, kamen einige der gehfähigen Verwundeten aus dem Lazarett zum Bauernhof herüber, um uns zu besuchen. Diese schmeichlerische Geste verwirrte mich, aber ich mochte sie ganz gerne, und immer wenn ich sie in den Hof kommen hörte, warf ich meinen Kopf über die hohe Stalltür. Da standen wir dann Seite an Seite, Topthorn und ich, und hörten uns die nicht enden wollenden freundlichen und bewundernden Worte an – und natürlich war all dies manchmal mit einem willkommenen Geschenk verbunden, einem Stück Zucker vielleicht oder einem Apfel.

Die Abende dieses Sommers blieben mir jedoch besonders deutlich in Erinnerung. Häufig kamen wir erst bei Einbruch der Dunkelheit in den Hof getrappelt und dort warteten an der Stalltür dann immer das kleine Mädchen und sein Großvater, die uns an jenem ersten Abend besucht hatten. Die Sanitäter übergaben uns einfach ihrer Obhut – und das war uns gerade recht, denn so freundlich sie waren, von Pferden hatten sie keine Ahnung. Die kleine Emilie und ihr Großvater selbst hatten darauf bestanden, sich um uns zu kümmern. Sie rieben uns trocken und pflegten unsere Wunden und Beulen. Sie fütterten und wässerten uns und striegelten uns, und irgendwie schafften sie es immer, genügend Stroh aufzutreiben, so dass wir ein trockenes, warmes Bett hatten. Emilie machte uns beiden eine Mütze, die sie uns über die Augen band, damit uns die Fliegen nicht belästigten, und an den warmen Sommerabenden führte sie uns zum Grasen auf die Wiese unterhalb des Bauernhauses und blieb bei uns und sah uns zu, bis ihr Großvater uns wieder hineinrief.

Sie war ein kleines, zartes Wesen, aber sie führte uns mit größter Sicherheit über den Hof, wobei sie unablässig davon schwatzte, was sie den ganzen Tag über gemacht hatte, wie mutig wir seien und wie stolz sie auf uns sei.

Als der Winter zurückkehrte und das Gras seinen Geschmack und seine Nahrhaftigkeit verlor, kletterte sie auf den Heuboden über dem Stall und warf uns Heu herunter, dann legte sie sich oben auf den Bretterboden und beobachtete uns durch die Falltür, während wir das Heu aus der

Raufe zogen und es fraßen. Wenn der Großvater uns später versorgte, plapperte sie munter drauflos. Eines Tages, sobald sie einmal älter und stärker sein würde und der Krieg zu Ende und die Soldaten alle wieder zu Hause, würde sie selbst mit uns abwechselnd durch die Wälder reiten, und es würde uns nie an etwas fehlen, wenn wir nur für immer bei ihr blieben.

Topthorn und ich waren inzwischen fronterfahrene Pferde und vielleicht war es gerade das, was uns jeden Morgen durch das Gedonner der Granaten hinaus zu den Gräben trieb, aber noch etwas anderes kam hinzu. Es war die Hoffnung, dass wir allabendlich wieder in den Stall zurückkehren würden, wo uns die kleine Emilie erwartete und tröstete und lieb hatte. Darauf konnten wir uns freuen, danach sehnten wir uns. Jedes Pferd findet instinktiv Gefallen an Kindern, denn sie sprechen leiser und sind so klein, dass sie keine Gefahr darstellen; aber Emilie war für uns ein besonderes Kind, denn sie verbrachte jede freie Minute mit uns und überschüttete uns mit ihrer Zuneigung. Sie blieb bis spätabends bei uns und rieb uns trocken und pflegte unsere Füße, und in der Morgendämmerung war sie wieder auf den Beinen, um uns ordentlich zu füttern, bevor die Sanitäter uns wegführten und an den Lazarettkarren spannten. Dann kletterte sie immer auf die Mauer am Teich und dort stand sie und winkte, und obwohl ich mich nie umdrehen konnte, wusste ich, dass sie stehen blieb, bis wir auf der Straße verschwunden waren. Und wenn wir dann abends zurückkamen, war sie wieder da und rieb sich die

Hände vor Aufregung, während sie zusah, wie wir abgespannt wurden.

Doch eines Abends zu Beginn des Winters war sie nicht wie üblich da, um uns zu begrüßen. Wir hatten an diesem Tag noch härter schuften müssen als sonst, denn der erste Schnee hatte die Straße hinauf zu den Gräben für alle Fahrzeuge außer für die Pferdefuhrwerke unpassierbar gemacht und wir hatten doppelt so viele Fahrten machen müssen, um die Verwundeten zu bergen. Erschöpft, hungrig und durstig, wurden wir von Emilies Großvater in den Stall geführt. Er sagte kein Wort, versorgte uns nur kurz und eilte wieder über den Hof ins Haus. Topthorn und ich standen an diesem Abend an der Stalltür und beobachteten den sanften Fall der Schneeflocken und das flackernde Licht im Bauernhaus. Wir wussten, dass etwas nicht stimmte, noch bevor der alte Mann zurückkam und es uns erzählte.

Er kam spätnachts, seine Füße knirschten im Schnee. Er hatte die Eimer mit heißem Futterbrei zubereitet, auf die wir schon warteten, und setzte sich auf das Stroh unter der Laterne, um uns beim Fressen zuzusehen. »Sie betet für euch«, sagte er und nickte bedächtig. »Wisst ihr, dass sie jeden Abend, bevor sie zu Bett geht, für euch betet? Ich habe sie gehört. Sie betet für Vater und Mutter, die beide tot sind – sie starben nur eine Woche nach Kriegsbeginn. Eine einzige Granate, das war es schon. Und sie betet für ihren Bruder, den sie nie mehr wiedersehen wird – er war erst siebzehn und er hat nicht mal ein Grab. Es ist, als ob er nie gelebt hätte, außer in unseren Köpfen. Dann betet sie auch für mich, und dass der Krieg an unserem Hof vorbeiziehen und uns verschonen möge, und schließlich betet sie für euch beide. Sie bittet um zwei Dinge: dass ihr beide heil durch den Krieg kommt und mal richtig alt werdet und dass sie dann hoffentlich bei euch sein darf. Sie ist kaum dreizehn, meine Emilie, und jetzt liegt sie dort oben in ihrem Zimmer und ich weiß nicht, ob sie bis morgen früh durchkommt. Der deutsche Doktor vom Hospital sagt mir, es sei eine Lungenentzündung. Er ist ein recht guter Doktor, auch wenn er ein Deutscher ist – er hat sein Bestes getan, jetzt liegt es in Gottes Hand und bisher hat Gott nicht allzu gut für meine Familie gesorgt. Wenn sie geht, wenn meine Emilie stirbt, dann wird das einzige Licht in meinem Leben ausgelöscht.« Er richtete seine Augen, um die sich tiefe Runzeln zogen, auf uns und wischte sich die Tränen aus dem Gesicht. »Wenn ihr ein bisschen von dem versteht, was ich sage, dann betet für sie, zu welchem Pferdegott auch immer, betet für sie, wie sie es für euch tut.«

Noch in der gleichen Nacht gab es schweres Artilleriefeuer und vor Anbruch des nächsten Tages kamen die Sanitäter zu uns und führten uns in den Schnee hinaus, wo wir angespannt wurden. Von Emilie oder ihrem Großvater war nichts zu sehen. Topthorn und ich brauchten an diesem Morgen all unsere Kräfte, nur um den leeren Karren durch den frischen, nicht geräumten Schnee zur Front zu ziehen. Der Schnee verbarg alle Furchen und Granatlöcher und so mussten wir uns immer wieder aus den

Schneewehen und den Untiefen des Schlamms darunter befreien.

Wir schafften es zur Front, aber nur mit Hilfe der beiden Sanitäter, die heruntersprangen, wenn wir in Schwierigkeiten waren, und die Räder von Hand weiterdrehten, bis wir frei waren und der Karren erneut mit Schwung durch den Schnee lief.

Der Feldverbandsplatz hinter der Front war überfüllt mit Verwundeten und wir mussten eine schwerere Ladung als je zuvor zurückbringen, aber glücklicherweise ging es auf dem Rückweg meist bergab. Plötzlich fiel jemandem ein, dass es der Weihnachtsmorgen war, und während des ganzen Wegs zurück sangen sie langsame, melodische Weihnachtslieder. Es waren überwiegend Verwundete, die vom Gas geblendet worden waren, und während sie sangen, weinten manche von ihnen aus Schmerz um ihr verlorenes Augenlicht. Wir machten an diesem Tag sehr viele Fuhren und hielten nur inne, wenn das Hospital keinen mehr aufnehmen konnte.

Am Nachthimmel waren schon die Sterne zu sehen, als wir den Bauernhof erreichten. Das Granatfeuer hatte aufgehört. Keine Stichflammen erleuchteten den Himmel und überstrahlten die Sterne. Während des ganzen Weges hatte kein Geschütz gefeuert. Für eine Nacht war der Friede gekommen, für eine wenigstens. Der Frost hatte den Schnee im Hof harsch werden lassen. In unserem Stall schwang eine Laterne und Emilies Großvater kam heraus in den Schnee und nahm dem Sanitäter unsere Zügel ab.

»Es ist eine schöne Nacht«, sagte er, als er uns hineinführte. »Es ist eine schöne Nacht und alles ist gut. Drinnen ist Futterbrei und Heu und Wasser für euch – ich hab euch heut Nacht besonders reichlich gegeben, nicht weil es kalt ist, sondern weil ihr gebetet habt. Ihr müsst zu eurem Pferdegott gebetet haben, weil meine Emilie heute Mittag aufgewacht ist, und dann hat sie sich aufgerichtet, und wisst ihr, was sie als Erstes gesagt hat? Ich werd's euch verraten. ›Ich muss aufstehen‹, hat sie gesagt, ›ich muss ihnen ihren Futterbrei zubereiten, damit er fertig ist, wenn sie zurückkommen. Sie frieren sicher und sind müde.‹ Das hat sie gesagt. Der deutsche Doktor hat sie nur im Bett halten können, indem er ihr versprochen hat, dass ihr heute Abend Extrarationen bekommt, und sie hat ihm sein Wort abverlangt, dass ihr die so lange bekommt, bis es wieder wärmer wird. Also, geht rein, meine Schönen, und fresst euch satt. Wir haben heute alle ein Weihnachtsgeschenk bekommen, nicht wahr? Alles ist gut, kann ich euch sagen. Alles ist gut.«

Kapitel 11

Und alles sollte gut bleiben, wenigstens für eine gewisse
Zeit. Denn in jenem Frühling zog der Krieg mit einem Mal
von uns weg. Wir wussten, dass er nicht zu Ende war, denn
wir konnten das ferne Donnern der Geschütze immer noch
hören und von Zeit zu Zeit marschierten Truppen durch
das Gehöft hinauf zur Front. Aber es gab jetzt weniger Verwundete zu bergen und wir wurden immer seltener gebraucht, um unseren Sanitätskarren zu den Gräben und
zurück zu ziehen. Topthorn und ich wurden fast jeden Tag
zum Grasen auf die Wiese am Teich hinausgestellt, doch
die Abende waren noch kalt, manchmal frostig, und Emilie kam, um uns hereinzuholen, ehe es dunkel wurde. Sie
brauchte uns nicht zu führen. Ein Ruf von ihr genügte und
wir folgten.

Emilie war noch geschwächt von ihrer Krankheit und
hustete recht häufig, während sie uns im Stall versorgte. Inzwischen zog sie sich hin und wieder hoch auf meinen Rücken und ich schritt ganz sachte im Hof umher und hinaus

auf die Wiese, dicht gefolgt von Topthorn. Sie benutzte keine Zügel, keinen Sattel, kein Gebiss und keine Sporen und ritt mich nicht wie eine Herrin, sondern wie eine Freundin. Bei Topthorn, der ja um einiges größer und breiter war als ich, hatte sie große Mühe hochzukommen, und wieder herunterzukommen war für sie noch schwieriger. Gelegentlich musste ich ihr als Aufsteighilfe dienen, aber es war ein heikles Unterfangen und mehr als einmal fiel sie dabei zu Boden.

Aber zwischen Topthorn und mir gab es keine Eifersüchteleien und er war es ganz zufrieden neben uns herzutrotten und sie auf den Rücken zu nehmen, wann immer sie Lust dazu hatte. Eines Abends standen wir draußen auf der Wiese im Schatten der Kastanie, um uns vor der ersten Hitze der Sommersonne zu schützen, da hörten wir den Lärm einer Lastwagenkolonne, die von der Front her näher kam. Als sie durch das Hoftor fuhr, riefen die Leute uns zu und wir erkannten die Sanitäter, Schwestern und Ärzte des Feldlazaretts. Der Konvoi stoppte auf dem Hof und wir galoppierten zum Gatter am Teich und schauten hinüber. Emilie und ihr Großvater tauchten aus dem Melkschuppen auf und unterhielten sich mit dem Arzt. Urplötzlich waren wir von all den Sanitätern belagert, die wir so gut kennengelernt hatten. Sie kletterten auf den Zaun und tätschelten und streichelten uns liebevoll. Sie waren in ausgelassener Stimmung und doch auf eine Art traurig. Emilie kam rufend und schreiend zu uns gerannt.

»Ich wusste, dass es passieren würde«, sagte sie. »Ich

wusste es. Ich hab dafür gebetet und es ist wahr geworden. Sie brauchen euch nicht mehr zum Karrenziehen. Sie gehen mit dem Lazarett weiter nach hinten ins Tal. Dort ist eine große, große Schlacht und deshalb verlassen sie uns. Aber sie wollen euch nicht mitnehmen. Der nette Doktor hat Großvater gesagt, dass ihr beide hierbleiben dürft – es ist eine Art Bezahlung für den Karren, den sie benutzt haben, und für das Essen, das sie genommen haben, und weil wir uns den ganzen Winter um euch gekümmert haben. Ihr könnt auf dem Hof bleiben und arbeiten, bis die Armee euch wieder braucht – aber das werden sie nie, und wenn doch, dann verstecke ich euch. Wir werden niemals zulassen, dass man euch wegnimmt, nicht wahr, Großvater? Nie, nie.«

Nach langen, traurigen Abschiedsgrüßen zog die Kolonne in einer Staubwolke weiter die Straße entlang und ließ uns allein und in Frieden mit Emilie und ihrem Großvater. Dieser Frieden sollte sich als süß, aber kurzlebig erweisen.

Zu meiner großen Freude war ich nun wieder Arbeitspferd auf einem Bauernhof. Tags darauf schon wurden Topthorn und ich zusammengeschirrt und wir brachen auf zum Mähen und Heuwenden. Als sich Emilie nach diesem ersten langen Tag auf dem Feld bei ihrem Großvater beschwerte, er würde uns zu hart rannehmen, legte er ihr die Hände auf die Schultern und sagte: »Unsinn, Emilie. Sie haben die Arbeit gern. Sie brauchen die Arbeit. Und außerdem, wenn wir überleben wollen, Emilie, bleibt uns keine andere Wahl, als weiterzumachen wie zuvor. Die Soldaten sind jetzt fort, und wenn wir ganz entschlossen daran glauben, dann wird der Krieg vielleicht ganz verschwinden. Wir müssen leben, wie wir immer gelebt haben, unser Heu mähen, unsere Äpfel pflücken und unseren Boden bestellen. Wir können nicht so leben, als ob es kein Morgen gäbe. Wir können nur überleben, wenn wir essen, und unsere Nahrung kommt vom Land. Wir müssen das Land bestellen, wenn wir leben wollen, und diese beiden müssen uns bei der Arbeit helfen. Es macht ihnen nichts aus, sie mögen die Arbeit. Schau sie dir an, Emilie, sehen sie unglücklich aus?«

Topthorn fiel es nicht schwer, statt eines Sanitätskarrens einen Heuwender zu ziehen, er gewöhnte sich schnell daran; und für mich wurde ein Traum wahr, den ich viele Male geträumt hatte, seit ich den Hof in Devon verlassen hatte. Ich arbeitete wieder mit glücklichen, lachenden Menschen zusammen, die für mich sorgten. Topthorn und ich machten uns mit Schwung an die Ernte und zogen die schweren Heuwagen in die Scheune, wo Emilie und ihr Großvater sie entluden. Und Emilie kümmerte sich weiter liebevoll um uns – sie versorgte jeden Kratzer und jede Beule sofort, und ihr Großvater mochte noch so drängen, sie ließ ihn nie allzu lange mit uns arbeiten. Aber das friedliche Leben als Bauernpferd konnte nicht ewig dauern, nicht mitten in diesem Krieg.

Fast alles Heu war eingefahren, als die Soldaten eines Abends zurückkehrten. Wir waren im Stall, da hörten wir näher kommende Hufschläge und das Rumpeln von Rädern auf Pflastersteinen, als die Kolonne in den Hof einrückte. Die Pferde waren zu sechst vor große schwere Kanonen gespannt und standen pustend und keuchend vor Erschöpfung in ihren Zugriemen. Jedes Paar wurde von Männern geritten, deren Gesichter unter ihren grauen Mützen streng und ernst wirkten. Mir fiel sofort auf, dass dies nicht die freundlichen Sanitäter waren, die uns erst vor einigen kurzen Wochen verlassen hatten. Ihre Gesichter waren fremd und schroff und ihr Blick war seltsam fiebrig und drängend. Wenige von ihnen lachten oder grinsten zumindest. Das war ein anderer Schlag von Männern, als wir ihn kennengelernt hatten. Nur ein alter Soldat, der den Munitionskarren fuhr, kam herüber, um uns zu streicheln, und sprach freundlich mit der kleinen Emilie.

Nach kurzer Rücksprache mit Emilies Großvater schlug der Geschütztrupp sein Lager für diese Nacht auf unserer Wiese auf und tränkte die Pferde im Teich. Die Ankunft neuer Pferde wühlte Topthorn und mich auf und wir streckten den ganzen Abend unsere Köpfe über die Stalltür und wieherten ihnen zu, doch die meisten schienen zu müde, um zu antworten. Später kam Emilie und erzählte uns von den Soldaten. Wir spürten, dass sie besorgt war, denn sie sprach nur im Flüsterton.

»Großpapa will sie nicht hier haben«, sagte sie. »Er traut dem Offizier nicht, der hat Augen wie eine Wespe, meint er, und man kann keiner Wespe trauen. Aber morgen verschwinden sie, dann sind wir wieder allein.«

Früh an diesem nächsten Morgen, als das Dunkel der Nacht vom Himmel schwand, kam ein Besucher zu uns in den Stall. Es war ein bleicher, dünner Mann in staubiger Uniform, der über die Tür spähte und uns musterte. Er trug eine Brille mit Drahtfassung, und seine Augen, mit denen er uns aufmerksam beobachtete, quollen leicht hervor. Er stand ein paar Minuten lang da und nickte, dann ging er.

Als es ganz hell geworden war und der Geschütztrupp marschbereit im Hof stand, klopfte es beharrlich an der Tür des Bauernhauses und wir sahen, wie Emilie und ihr Großvater, noch in ihren Nachtgewändern, auf den Hof hinaustraten.

»Ihre Pferde, Monsieur«, erklärte der Offizier mit der Brille trocken. »Ich werde Ihre Pferde mitnehmen. Ich habe ein Gespann mit nur vier Pferden und ich brauche zwei mehr. Sie sehen wie gute, starke Tiere aus und werden schnell lernen. Wir nehmen sie mit.«

»Aber wie kann ich meinen Hof bestellen ohne Pferde?«, sagte Emilies Großvater. »Es sind bloß Ackerpferde, sie werden keine Kanonen ziehen können.«

»Mein Herr«, sagte der Offizier, »es ist Krieg und ich brauche Pferde für meine Geschütze. Ich muss sie mitnehmen. Was Sie auf Ihrem Hof machen, ist Ihre Angelegenheit, aber ich muss diese Pferde haben. Die Armee braucht sie.«

»Aber das dürfen Sie nicht«, rief Emilie. »Das sind meine Pferde. Sie dürfen sie nicht wegnehmen. Lass es nicht zu, Großpapa, lass es nicht zu, bitte, lass es nicht zu.«

Der alte Mann zuckte traurig mit den Schultern. »Mein Kind«, sagte er leise. »Was kann ich tun? Wie kann ich sie aufhalten? Willst du vielleicht, dass ich sie mit meiner Sense in Stücke haue oder mit der Axt auf sie losgehe? Nein, mein Kind, wir wussten, dass es eines Tages passieren würde, oder? Wir haben oft genug darüber gesprochen, nicht wahr? Wir wussten, dass sie uns eines Tages verlassen würden. Jetzt will ich vor diesen Leuten keine Tränen sehen. Du sollst stolz und stark sein, wie es dein Bruder war. Ich lasse es nicht zu, dass du vor denen hier schwach wirst. Geh und verabschiede dich von deinen Pferden, Emilie, und sei tapfer.«

Die kleine Emilie führte uns in den hinteren Teil des Stalls und zog uns die Halfter über, wobei sie sorgfältig unsere Mähnen beiseitestrich, damit sie sich nicht im Strick verhedderten. Dann legte sie die Arme um uns, schmiegte den Kopf abwechselnd an Topthorn und mich und weinte stumm.

»Kommt zurück«, sagte sie. »Bitte kommt zu mir zurück. Ich sterbe, wenn ihr nicht zurückkommt.« Sie wischte sich über die Augen und warf ihr Haar zurück, ehe sie die Stalltür öffnete und uns auf den Hof hinausführte. Sie brachte uns geradewegs zum Offizier und reichte ihm die Zügel. »Ich will sie wiederhaben«, sagte sie und ihre Stimme war jetzt stark und fast grimmig. »Ich leihe sie Ihnen nur. Es sind meine Pferde. Sie gehören hierher. Füttern Sie sie gut und kümmern Sie sich um sie und sehen Sie zu, dass Sie sie zurückbringen.« Dann ging sie an ihrem Groß-

vater vorbei ins Haus, ohne sich auch nur einmal umzu-
drehen.

Als wir den Hof verließen und widerwillig hinter dem
Munitionskarren hergezogen wurden, wandte ich mich um
und sah Emilies Großvater immer noch dort stehen. Er
lächelte und winkte uns unter Tränen zu. Dann zerrte
der Strick meinen Hals brutal herum und riss mich jäh in
den Trab, und ich erinnerte mich, dass ich schon einmal an
einen Karren gebunden und gegen meinen Willen fortge-
schleppt worden war. Diesmal aber war wenigstens Topthorn bei mir.

Kapitel 12

Vielleicht war es der Gegensatz zu den wenigen friedvollen Monaten, die wir bei Emilie und ihrem Großvater verbracht hatten, der die folgende Zeit für Topthorn und mich so grausam und bitter machte; vielleicht lag es auch einfach daran, dass der Krieg immer schrecklicher wurde. An manchen Frontabschnitten standen die Geschütze kilometerweit dicht nebeneinander, und wenn sie wütend donnerten, dann bebte die Erde unter uns. Die Kolonnen der Verwundeten schienen jetzt kein Ende mehr zu nehmen und noch weit hinter den Gräben war das Land in eine Wüste verwandelt.

Die Arbeit selbst war zwar nicht schwieriger als in der Zeit, da wir den Sanitätskarren gezogen hatten, aber jetzt standen wir nicht mehr jede Nacht im Stall und natürlich konnten wir uns auch nicht länger darauf verlassen, dass Emilie uns versorgte. Der Krieg war nun plötzlich nicht mehr fern. Wir steckten wieder mitten im furchterregenden Lärm und Gestank der Schlacht und zogen unsere

Kanone durch den Schlamm, angetrieben und manchmal vorangepeitscht von Männern, die sich wenig um unser Wohlergehen zu kümmern schienen, solange wir die Geschütze dorthin brachten, wo sie hinmussten. Grausame Männer waren es nicht, aber sie waren voller Angst und standen unter einem Zwang, der keinen Platz und keine Zeit für Freundlichkeit oder Rücksichtnahme ließ, weder untereinander noch für uns.

Nahrung war nun knapper. Der Winter kehrte zurück und wir bekamen nur noch gelegentlich unseren Mais und es gab kärgliche Rationen Heu für jeden von uns. Langsam verloren wir beide an Gewicht und Kondition. Gleichzeitig wurden die Schlachten erbitterter und langwieriger und wir arbeiteten nun länger und härter im Geschirr vor der Kanone; ständig waren wir wund und verfroren. Jeden Abend waren wir mit einer Schicht kaltem, tropfendem Schlamm bedeckt, der uns bis auf die frierenden Knochen zu durchdringen schien.

Das Artilleriegespann war eine wahllos zusammengestellte Mischung aus sechs Pferden. Von den vieren, zu denen wir gestoßen waren, hatte nur eines die Größe und Stärke, die ein Artilleriepferd haben sollte. Es war ein Riesentrumm von einem Pferd, das sie Heinie nannten und das bei all dem, was um es her geschah, einigermaßen gelassen blieb. Die anderen Pferde im Gespann versuchten sich ein Beispiel an ihm zu nehmen, aber nur Topthorn gelang das. Heinie und Topthorn waren die Vorderpferde und ich wurde hinter Topthorn neben ein dünnes, drahtiges kleines Pferd geschirrt, das Coco hieß. Er hatte lauter weiße Flecken auf der Stirn, was die Soldaten, an denen wir vorbeikamen, oft lustig fanden. Aber an Coco war nichts Lustiges – er hatte das übelste Temperament von allen Pferden, die ich je davor und danach getroffen habe. Wenn Coco gerade fraß, traute sich niemand, weder Pferd noch Mensch, auf Beiß- oder Tretdistanz an ihn heran. Hinter uns hatten wir ein Paar kleinerer, goldbrauner Ponys mit flachsblonden Mähnen und Schweifen, die gut zueinander passten. Keiner konnte sie unterscheiden, selbst die Soldaten nannten sie nicht einzeln beim Namen, sondern nur »die zwei goldenen Haflinger«. Weil sie hübsch und stets freundlich waren, wurden sie von den Kanonieren viel beachtet und sogar ein wenig geliebt. Sie waren ein ungewöhnlicher und doch aufmunternder Anblick für die ermüdeten Soldaten, wenn wir durch die zerstörten Dörfer zur Front trotteten. Kein Zweifel, dass sie nicht weniger fleißig arbeiteten als wir anderen und dass sie, obwohl sie so klein waren, mindestens genauso ausdauernd waren; aber im kurzen Galopp wirkten sie wie eine Bremse, verlangsamten das Tempo und störten den Rhythmus des Gespanns.

Seltsamerweise war es der gewaltige Heinie, der die ersten Anzeichen von Schwäche zeigte. Der kalte, sumpfige Schlamm und der Mangel an richtigem Futter während dieses entsetzlichen Winters führten dazu, dass seine massige Gestalt schrumpfte, und machten binnen Monaten ein armseliges, mageres Geschöpf aus ihm. So ließen sie mich – und ich gestehe, zu meiner Freude – ins Leitpaar zu

Topthorn aufrücken; Heinie musste zurückstecken und sich neben dem kleinen Coco einordnen, der die ganze Tortur mit wenig Kräftereserven begonnen hatte. Mit den beiden ging es rasch bergab, bis sie schließlich nur noch auf ebenem, festem Gelände als Zugpferde zu gebrauchen waren, und da wir selten über solches Land kamen, nützten sie im Gespann bald wenig und machten uns anderen die Arbeit eher anstrengender.

Nacht für Nacht standen wir aneinandergereiht bis zu den Fesselgelenken im frierenden Schlamm, nun viel schlimmeren Bedingungen ausgesetzt als in jenem ersten Kriegswinter, da Topthorn und ich noch als Kavalleriepferde gearbeitet hatten. Damals hatte jedes Pferd einen Reiter gehabt, der sich nach Kräften um uns kümmerte und uns tröstete, aber jetzt hatte der wirksame Einsatz der Kanone absoluten Vorrang und wir mussten uns darin fügen. Wir waren nichts als Arbeitspferde und wurden als solche behandelt. Die Artilleristen waren grau im Gesicht vor Erschöpfung und Hunger. Für sie ging es jetzt bloß noch ums Überleben. Nur der freundliche alte Kanonier, der mir an dem Tag aufgefallen war, als sie uns vom Hof geholt hatten, kümmerte sich um uns. Er fütterte uns mit harten, krümeligen Schwarzbrotstücken und verbrachte mehr Zeit mit uns als mit seinen Kameraden, die er möglichst zu meiden schien. Er war ein schmuddeliger, korpulenter kleiner Mann, der andauernd kicherte und mehr mit sich selbst als mit anderen redete.

Die Folgen des ständigen Draußenseins, der mangelhaften Ernährung und der harten Arbeit waren nun bei uns allen deutlich zu sehen. Nur wenige hatten an den unteren Partien der Beine noch Haare und die Haut daran war voller aufgeplatzter Wunden. Selbst die zähen kleinen Haflinger verloren nun allmählich ihre Kräfte. Wie alle anderen empfand ich inzwischen jeden Schritt als unerträglich schmerzhaft, besonders in den Vorderbeinen, die von den Knien an abwärts schlimm aufgeschürft waren, und es gab kein einziges Pferd im Gespann, das nicht lahmte. Die Tierärzte mühten sich nach Kräften um uns und selbst der hartherzigste Kanonier machte sich Sorgen, dass unser Zustand sich verschlimmerte, aber keiner konnte etwas dagegen tun, bevor der Schlamm verschwand.

Die Feldtierärzte schüttelten verzweifelt den Kopf und nahmen möglichst viele Pferde heraus, um ihnen eine Erholungspause zu gönnen. Doch um einige stand es so schlimm, dass man sie davonführte und nach der ärztlichen Untersuchung auf der Stelle erschoss. So erging es eines Morgens Heinie. Wir kamen an ihm vorbei, wie er da im Schlamm lag, ein armseliges Wrack von einem Pferd; und so erging es schließlich auch Coco, den ein Schrapnell im Hals getroffen hatte und der noch am Straßenrand getötet werden musste. Sowenig ich dieses bösartige Tier auch gemocht hatte – es war ein erbärmlicher und schrecklicher Anblick, wie ein Schicksalsgefährte, neben dem ich so lange gearbeitet hatte, weggeworfen und vergessen in einem Graben lag.

Die kleinen Haflinger blieben den ganzen Winter über

bei uns, spannten ihre breiten Rücken und legten sich mit all der Kraft, die sie aufbringen konnten, in die Zugriemen. Sie waren sanft und friedfertig, ihr tapferes Gemüt zeigte nicht eine Spur Angriffslust, und Topthorn und ich konnten sie bald gut leiden. Die Haflinger wiederum blickten zu uns auf und suchten unsere Unterstützung und Freundschaft, und wir gaben ihnen beides bereitwillig.

Dass Topthorn Schwäche zeigte, fiel mir zum ersten Mal auf, als mir die Kanone schwerer vorkam als sonst. Wir durchquerten einen kleinen Fluss und die Räder der Kanone blieben im Schlamm stecken. Ich wandte rasch den Kopf zu ihm um und bemerkte plötzlich, dass er sich abquälte und mit gespreizten Beinen dastand. Seine Augen sagten deutlich, welche Schmerzen er litt, und ich legte mich umso mehr ins Zeug, damit er es ein wenig leichter hatte.

In dieser Nacht, als der Regen uns pausenlos auf den Rücken trommelte, stand ich über ihm, während er sich in den Schlamm legte. Er legte sich nicht auf den Bauch, wie er es immer tat, sondern streckte sich seitlich aus und hob von Zeit zu Zeit den Kopf, wenn ein Hustenanfall ihn schüttelte. Er hustete immer wieder während der ganzen Nacht und schlief nur unruhig. Ich sorgte mich um ihn, rieb ihn mit der Schnauze und leckte ihn ab, um ihm Wärme zu spenden und ihm zu versichern, dass er nicht allein war in seinem Schmerz. Ich tröstete mich mit dem Gedanken, dass kein Pferd, das ich je gesehen hatte, die Stärke und Ausdauer von Topthorn besaß und dass er selbst in seiner Krankheit noch von großen Kräftereserven zehren konnte.

Und tatsächlich, am nächsten Morgen war er wieder auf den Beinen, bevor die Kanoniere kamen, um uns mit unserer Ration Mais zu füttern, und obwohl er den Kopf tiefer hängen ließ als sonst und sich nur schwerfällig bewegte, konnte ich sehen, dass er die Kraft zum Überleben hatte, wenn er sich nur ausruhen konnte.

Doch als der Tierarzt an diesem Tag an der Reihe der Pferde entlangging, fiel mir auf, dass er Topthorn lange und eingehend musterte und sorgfältig seine Brust abhorchte. »Das ist ein kräftiger Kerl«, hörte ich ihn zu dem Offizier mit der Brille sagen – einem Mann, den keiner mochte, weder die Pferde noch die Soldaten. »Der ist aus guter Zucht, zu gut vielleicht, Herr Major, könnte durchaus sein Unglück sein. Er ist zu edel, um eine Kanone zu ziehen. Ich würde ihn rausnehmen, aber Sie haben kein Pferd, um ihn zu ersetzen, nicht wahr? Er wird schon weitermachen, schätze ich, aber gehen Sie vorsichtig mit ihm um, Herr Major. Lassen Sie das Gespann so langsam wie möglich laufen, sonst haben Sie es bald nicht mehr, und ohne Gespann nützt Ihnen die Kanone nicht viel, oder?«

»Er wird arbeiten müssen wie die anderen auch, Herr Doktor«, sagte der Major mit stählerner Stimme. »Nicht mehr und nicht weniger. Ich kann keine Ausnahmen machen. Wenn Sie ihn als tauglich einschätzen, ist er tauglich, und damit Schluss.«

»Er ist so weit bei Kräften, dass er weitermachen kann«,

sagte der Tierarzt zögernd. »Aber ich warne Sie, Herr Major. Sie müssen aufpassen.«

»Wir tun, was wir können«, sagte der Major abweisend. Und um fair zu sein, taten sie das auch. Es war der Schlamm, der uns einen nach dem anderen umbrachte, der Schlamm, die fehlenden Unterstände und der Mangel an Nahrung.

Kapitel 13

So schaffte es Topthorn also in den Frühling, ernstlich geschwächt von seiner Krankheit und immer noch mit einem heiseren Husten, aber er hatte überlebt. Wir beide hatten überlebt. Wir hatten jetzt festen Boden unter uns und das Gras wuchs erneut auf den Wiesen, so dass wir wieder Fleisch auf die Knochen bekamen und unser Fell seine winterliche Stumpfheit verlor und in der Sonne glänzte. Die Sonne schien auch auf die Soldaten, deren graue Uniformen mit den roten Streifen nun nicht mehr so schmutzig wurden. Sie rasierten sich öfter und wie in jedem Frühling begannen sie vom Ende des Krieges zu sprechen und über die Heimat und dass der nächste Angriff endgültig der letzte sein würde und sie ihre Familien bald wiedersehen würden. Sie waren glücklicher und behandelten uns viel freundlicher. Mit dem Wetter wurden auch die Rationen besser und unser Artilleriegespann marschierte mit neuer Begeisterung und Zuversicht. Die Wunden an unseren Beinen verheilten und wir hatten jeden Tag die Bäuche voll mit so viel Gras, wie wir nur fressen konnten, und reichlich Hafer.

Hinter uns keuchten und schnauften die beiden kleinen Haflinger und packten Topthorn und mich so an der Ehre, dass wir einen Galopp hinlegten, was wir den ganzen Winter nicht geschafft hatten, egal wie heftig unsere Fahrer uns hatten voranpeitschen wollen. Die Tatsache, dass wir nun gesund waren, und der Optimismus der singenden und pfeifenden Soldaten versetzten uns in eine ungewohnt heitere Stimmung, während wir unsere Kanonen über die zerbombten Feldwege zu den Stellungen zogen.

Aber in diesem Sommer sollte es für uns keine Schlachten geben. Immer wieder kam es zu sporadischen Feuergefechten und Granatbeschuss, doch offenbar genügte es den Armeen, sich gegenseitig anzuknurren und zu bedrohen, ohne je Ernst zu machen. Aus weiter Ferne, von beiden Himmelsrichtungen der Front, hörten wir natürlich den neuen heftigen Kampf der Frühjahrsoffensive, aber wir wurden nicht gebraucht, um die Kanonen zu ziehen, und verbrachten diesen Sommer vergleichsweise ruhig hinter den Linien. Müßiggang, ja selbst Langeweile machte sich breit, während wir auf den üppigen Butterblumenwiesen grasten, und zum ersten Mal, seit wir in den Krieg gezogen waren, wurden wir sogar fett. So fett, dass Topthorn und ich ausgewählt wurden, den Munitionskarren vom einige Kilometer entfernten Ausladebahnhof zu den Artilleriestellungen zu ziehen, und da gerieten wir unter den Befehl des freundlichen alten Soldaten, der den ganzen Winter über so gut zu uns gewesen war.

Alle nannten ihn den verrückten alten Friedrich. Sie hielten ihn für verrückt, weil er andauernd Selbstgespräche führte, und selbst wenn er es nicht tat, lachte und gluckste er über irgendeinen heimlichen Witz, den er nie jemandem erzählte. Der verrückte alte Soldat Friedrich musste die Dinge erledigen, vor denen sich die anderen drückten, denn er war immer hilfsbereit und alle wussten das.

Es war eine ermüdende und anstrengende Arbeit in Hitze und Staub, bei der wir rasch unser überschüssiges Fett verloren und die uns wieder alle Kräfte raubte. Der Karren war immer zu schwer für uns, denn am Bahnhof beharrten sie trotz Friedrichs Protesten darauf, ihn mit möglichst vielen Granaten zu beladen. Sie lachten Friedrich einfach aus, achteten nicht weiter auf ihn und stapelten die Granaten noch höher. Auf dem Weg zurück zu den Geschützstellungen ging Friedrich immer zu Fuß die Hügel hoch und führte uns langsam, denn er wusste sehr gut, wie schwer der Karren war. Oft machten wir halt, um uns auszuruhen und zu trinken, und er sah zu, dass wir mehr Futter bekamen als die anderen Pferde, die sich den ganzen Sommer lang ausruhten.

Bald freuten wir uns auf jeden Morgen, an dem Friedrich kam, uns vom Feld holte und anspannte und wir den Lärm und die Hektik des Lagers hinter uns ließen. Wir stellten fest, dass Friedrich absolut nicht verrückt war, sondern einfach ein freundlicher und gütiger Mann, dessen ganzes Wesen sich gegen den Krieg sträubte. Während wir die Straße entlang zum Bahnhof stapften, gestand er uns, dass er sich nur danach sehnte, wieder in seiner Metzgerei in Schleiden zu sein, und dass er Selbstgespräche führte, weil er den Eindruck hatte, dass er der Einzige war, mit dem er sich verstand oder der ihm auch nur zuhören wollte. Er lache in sich hinein, sagte er, denn wenn er nicht lachen würde, dann würde er weinen.

»Ich sag euch, meine Freunde«, meinte er eines Tages, »ich sag euch, ich bin der einzige Mann im ganzen Regiment, der nicht verrückt ist. Die anderen sind die Wahnsinnigen, aber die wissen es nicht. Sie führen einen Krieg, aber sie wissen nicht, wofür. Ist das nicht verrückt? Wie kann ein Mensch einen anderen töten und den Grund dafür eigentlich gar nicht kennen, außer dass die Uniform des Fremden eine andere Farbe hat und er eine andere Sprache spricht? Und mich nennen sie verrückt! Ihr zwei seid die einzigen vernünftigen Wesen, die ich in diesem verfluchten Krieg getroffen habe, und genau wie ich seid ihr nur deshalb hier, weil man euch hierhergebracht hat. Wenn ich den Mut hätte – und den habe ich nicht –, dann würde ich diese Straße hinuntergehen und nie zurückkommen. Aber wenn sie mich erwischen, erschießen sie mich, und meine Frau und meine Kinder und meine Mutter und mein Vater müssten für immer mit der Schande leben. Wie die Dinge liegen, werde ich diesen Krieg als der ›verrückte alte Friedrich‹ durchstehen, damit ich nach Schleiden zurückkehren und wieder der Metzger Friedrich werden kann, den jeder gekannt und geachtet hat, ehe dieser Schlamassel hier angefangen hat.«

Im Lauf der Wochen wurde deutlich, dass Friedrich ganz besonders Topthorn in sein Herz geschlossen hatte. Er wusste, dass Topthorn krank gewesen war, und nahm sich viel Zeit, um für ihn zu sorgen, kümmerte sich um die kleinste Blessur, bevor sie schlimmer wurde und ihm das Leben schwer machen konnte. Auch zu mir war er freundlich, aber ich glaube, er hatte mich nicht so gern wie Topthorn. Mir fiel auf, dass er oft ein paar Schritte zurücktrat und Topthorn voller Liebe und mit strahlender Bewunderung ansah. Zwischen den beiden schien ein inniges Einverständnis zu herrschen, das zweier alter Soldaten.

Allmählich wich der Sommer dem Herbst und es wurde klar, dass unsere Zeit mit Friedrich zu Ende ging. Er hing inzwischen so sehr an Topthorn, dass er sich freiwillig meldete, um mit ihm zu den Übungen der Artilleriegespanne zu reiten, die der Herbstoffensive vorausgehen sollten. Natürlich lachten alle Kanoniere über diesen Vorschlag, aber da es immer an guten Reitern mangelte – und keiner bestritt, dass er einer war –, wurden wir wieder als Leitpferde eingesetzt und der verrückte alte Friedrich ritt auf Topthorns Rücken. Endlich hatten wir einen wahren Freund gefunden, dem wir bedingungslos vertrauen konnten.

»Wenn ich schon hier draußen sterben muss, fern von meiner Heimat«, vertraute Friedrich eines Tages Topthorn an, »dann würde ich am liebsten an deiner Seite sterben. Aber eins versprech ich dir: Ich setze alles daran, dass wir durchkommen und wieder nach Hause zurückkehren.«

Kapitel 14

So ritt Friedrich mit uns an jenem Herbsttag, als wir von neuem in den Krieg zogen. Der Geschütztrupp rastete über Mittag unter dem willkommenen Schatten eines großen Kastanienwaldes zu beiden Seiten eines silbern glitzernden Flusses voll um sich spritzender, lachender Männer. Als wir unter den Bäumen angelangt waren und die Kanonen abgespannt wurden, sah ich, dass der ganze Wald voller Soldaten war, die ihre Helme, Tornister und Gewehre beiseitegelegt hatten und sich ausruhten. Sie saßen an die Bäume gelehnt und rauchten oder hatten sich ausgestreckt, um zu schlafen.

Wie wir es inzwischen schon gewohnt waren, kam bald eine Schar Männer zu uns herüber, um die beiden goldschimmernden Haflinger zu streicheln, aber einer der jungen Soldaten trat zu Topthorn und blickte mit unverhohlener Bewunderung zu ihm auf. »Was für ein Pferd«, sagte er und rief seinen Freund. »Komm und schau dir den mal an, Karl. Hast du jemals ein schöneres Tier gesehen? Der hat den Kopf eines Arabers. Seinen Beinen sieht man die Schnelligkeit eines englischen Vollblüters an und dem Hals und dem Rücken die Kraft eines Hannoveraners. Er hat von allen das Beste.« Und er hob die Hand und rieb Topthorn mit der Faust sachte über die Nase.

»Hast du denn nichts als Pferde im Kopf, Rudi?«, erwiderte sein Kamerad. »Ich kenn dich jetzt seit drei Jahren und kein Tag vergeht, ohne dass du dich über diese elenden Viecher auslässt. Ich weiß, du bist auf eurem Hof mit Pferden aufgewachsen, aber ich versteh trotzdem nicht, was du an ihnen findest. Sie haben nichts weiter als vier Beine, einen Kopf und einen Schweif, alles gesteuert von einem kleinen Hirn, das an nichts anderes als an Fressen und Saufen denken kann.«

»Wie kannst du so was sagen?«, entgegnete Rudi. »Schau ihn dir doch an. Siehst du nicht, dass er was Besonderes ist? Das ist nicht irgendein altes Pferd. Er hat einen edlen Blick, eine königliche Gelassenheit. Ist er nicht Sinnbild dessen, was der Mensch gerne wäre und nie sein kann? Ich sag dir, mein Freund, in einem Pferd verbirgt sich etwas Göttliches, und besonders in einem Pferd wie diesem. Gott hat es gut getroffen an dem Tag, da er das Pferd erschaffen hat. Und ein solches Pferd mitten in diesem schmutzigen Gräuel von einem Krieg zu finden, das ist für mich, als würde ich einen Schmetterling auf einem Misthaufen entdecken. Wir gehören nicht ins selbe Universum wie dieses Geschöpf.«

Die Soldaten waren mir im Lauf des Krieges immer jünger erschienen und bei Rudi ging es mir genauso. Unter dem kurz geschorenen Haar, das noch feucht war vom Helm, wirkte er ungefähr so alt wie der Albert in meiner Erinnerung. Und wie so viele von ihnen sah er jetzt, da er seinen Helm abgenommen hatte, wie ein Kind aus, das als Soldat verkleidet war.

Als Friedrich uns zum Fluss hinunterführte, um uns zu tränken, kamen Rudi und sein Freund mit. Topthorn tauchte an meiner Seite den Kopf ins Wasser, schüttelte ihn wie immer energisch, benetzte mein ganzes Gesicht und meinen Hals und verschaffte mir eine wohlige Erfrischung in der Hitze. Er trank lange und ausgiebig, danach blieben wir am Ufer stehen und sahen den Soldaten zu, wie sie im Wasser tobten. Die Böschung zurück in den Wald war steil und von Furchen durchzogen, deshalb war es kein Wunder, dass Topthorn das eine oder andere Mal stolperte – er war nie so sicher auf den Beinen gewesen wie ich –, aber er gewann sein Gleichgewicht jedes Mal wieder und stapfte neben mir den Hang hinauf. Allerdings fiel mir auf, dass er sich recht matt und schleppend bewegte und ihm jeder Schritt hinauf schwerer fiel. Sein Atem ging plötzlich kurz und rasselnd. Dann, als wir uns dem Schatten der Bäume näherten, strauchelte Topthorn, fiel auf die Knie und kam nicht wieder hoch. Ich hielt einen Moment inne, um ihm Zeit zum Aufstehen zu lassen, aber er schaffte es nicht auf die Beine. Er blieb an Ort und Stelle liegen, atmete schwer und hob nur einmal den Kopf, um mich anzusehen. Er bat um Hilfe – das las ich in seinen Augen. Dann sackte er nach vorne aufs Gesicht, rollte zur Seite und rührte sich nicht mehr. Die Zunge hing ihm aus dem Maul und seine Augen blickten blind zu mir auf. Ich neigte den Kopf und rieb ihn mit der Schnauze, stupste ihm gegen den Hals und mühte mich verzweifelt ihm ein Lebenszeichen abzuringen und ihn aufzuwecken. Doch instinktiv wusste ich, dass er schon tot war, dass ich meinen besten und liebsten Freund verloren hatte. Friedrich kauerte sich neben Topthorn auf die Knie und legte das Ohr an seinen Hals. Dann richtete er sich kopfschüttelnd auf und wandte sich an die Männer, die sich inzwischen um uns geschart hatten. »Er ist tot«, sagte Friedrich leise und fügte zornig hinzu: »Um Himmels willen, er ist tot.« Tiefe Trauer zeichnete sein Gesicht. »Warum?«, fragte er. »Warum muss dieser Krieg einfach alles zerstören, was edel und schön ist?« Er bedeckte die Augen mit den Händen und Rudi hob ihn sachte auf die Beine.

»Da können Sie nichts machen, Alter«, sagte er. »Er hat es überstanden. Kommen Sie.« Aber der alte Friedrich wollte sich nicht wegführen lassen. Ich wandte mich noch einmal Topthorn zu, der da vor mir lag, und leckte ihn und rieb ihn mit der Schnauze, obwohl ich inzwischen begriffen hatte, dass der Tod endgültig war, aber in meiner Trauer spürte ich nur noch das Verlangen, bei ihm zu bleiben und ihn zu trösten.

Der Tierarzt, der als Offizier der Truppe zugewiesen war, kam den Hang heruntergerannt, gefolgt von sämtlichen Offizieren und Soldaten der Einheit, die eben gehört hatten, was geschehen war. Nach einer kurzen Untersuchung erklärte auch er Topthorn für tot. »Ich hab es Ihnen gesagt. Ich hab es Ihnen gesagt«, sprach er beinahe zu sich selbst. »Das ist zu viel für diese Pferde. Das erleb ich immer wieder. Zu viel Arbeit bei kargen Rationen und den ganzen Winter über draußen. Das erleb ich immer wieder. Ein Pferd wie dieses hier kann nicht alles ertragen. Herzversagen, armer Kerl. Wenn so was passiert, werd ich jedes Mal wütend. So sollten wir Pferde nicht behandeln – da behandeln wir unsere Maschinen besser.«

»Er war ein Freund«, sagte Friedrich schlicht, kniete sich wieder zu Topthorn und nahm ihm das Kummet ab. Die Soldaten standen ringsum in tiefem Schweigen und blickten auf den am Boden liegenden Topthorn, einen Moment lang erfüllt von unwillkürlicher Hochachtung und Trauer. Vielleicht hing es damit zusammen, dass sie ihn schon lange kannten und er so etwas wie ein Teil ihres Lebens geworden war.

Während wir stumm am Hang standen, hörte ich das Pfeifen einer Granate über uns, und als sie im Fluss landete, sah ich die erste Explosion. Plötzlich wimmelte der Wald von schreienden, rennenden Soldaten und die Granaten schlugen rund um uns ein. Die Männer im Fluss rannten halb nackt unter die Bäume, doch das Granatfeuer schien ihnen zu folgen. Baumstämme fielen krachend zu Boden und Pferde und Männer kamen aus dem Wald und stürmten zur Bergkuppe über uns.

Mein erster Impuls war, mitzulaufen, gleich wohin, um dem Granathagel zu entkommen; aber Topthorn lag tot zu meinen Füßen und ich wollte ihn nicht verlassen. Friedrich, der mich jetzt am Zügel genommen hatte, mühte sich aus Leibeskräften, mich wegzuziehen, hinter die Hügelkuppe, und er schrie und brüllte mich an, ich solle mitkommen, falls mir mein Leben lieb sei; aber kein Mensch kann ein Pferd bewegen, das sich nicht bewegen lassen will, und ich wollte bleiben, wo ich war. Als das Granatfeuer stärker wurde und Friedrich sah, dass sich seine Kameraden allmählich von ihm entfernten, den Hügel hinaufschwärmten und verschwanden, warf er meine Zügel hin und versuchte allein zu entkommen. Aber er war zu langsam und war zu spät aufgebrochen. Er hat den Wald nie erreicht. Er wurde nur ein paar Schritte von Topthorn entfernt niedergestreckt, rollte den Hügel wieder hinunter und blieb reglos neben Topthorn liegen. Das Letzte, was ich von meiner Truppe sah, waren die wehenden weißen Mähnen der beiden kleinen Haflinger, die das Geschütz zwischen den Bäumen den Hang hinaufzerrten, während die Kanoniere hektisch an ihren Zügeln zogen und die Kanone mühselig von hinten anschoben.

Kapitel 15

Diesen ganzen Tag lang, bis in die Nacht hinein, stand ich bei Topthorn und Friedrich. Nur einmal verließ ich sie, um kurz am Fluss zu trinken. Das Granatfeuer wanderte im Tal hin und her, sprengte Gras und Erde und Bäume in die Luft und hinterließ riesige Krater, die rauchten, als ob die Erde selbst in Flammen stünde. Doch die Angst, die ich vielleicht gehabt haben mag, wurde durch ein starkes Gefühl von Trauer und Liebe überlagert, das mich zwang, solange ich nur konnte, bei Topthorn zu bleiben. Ich wusste, sobald ich ihn verließ, würde ich wieder allein auf der Welt sein und seine Stärke und seine Unterstützung würden mir fehlen. Also blieb ich bei ihm und wartete.

Ich weiß noch, dass es kurz vor Tagesanbruch war und ich nahe der Stelle, wo sie lagen, ein wenig graste, als ich inmitten des Krachens und Pfeifens der Granaten das jaulende Geräusch von Motoren hörte, dazu ein furchterregendes stählernes Rasseln, so dass ich unwillkürlich die Ohren anlegte. Es kam von jenseits der Kuppe, aus der

Richtung, in welche die Soldaten verschwunden waren, ein quietschendes, brüllendes Lärmen, das sich von Minute zu Minute näherte; und als das Granatfeuer völlig erstarb, wurde es immer lauter.

Und dann wälzte sich der erste Panzer, den ich je gesehen habe – obwohl ich ihn damals nicht als solchen erkannte –, mit dem kalten Licht der Morgendämmerung im Rücken über die Hügelkuppe, ein großes graues rumpelndes Ungeheuer, das nach hinten Rauch ausspie, während es auf und ab wippend den Hügel herunter auf mich zudonnerte. Ich zögerte nur einen Augenblick, dann endlich riss mich blinde Panik von Topthorns Seite und peitschte mich den Hang hinunter auf den Fluss zu. Ich stürzte hinein, ohne dass ich überhaupt wusste, ob ich Grund unter den Füßen finden würde, und hatte den bewaldeten Hang auf der anderen Seite schon halb erklommen, ehe ich es wagte, innezuhalten und nachzusehen, ob das Ding mich immer noch jagte. Ich hätte mich nicht umdrehen sollen, denn aus dem Ungeheuer waren mehrere Ungeheuer geworden und sie rollten unerbittlich auf mich zu, schon jetzt an der Stelle vorbei, wo Topthorn mit Friedrich auf dem zerbombten Abhang lag. Ich wartete, von den Bäumen geschützt, wie ich glaubte, und sah zu, wie die Panzer den Fluss durchfuhren, dann ergriff ich erneut die Flucht.

Ich rannte blindlings dahin. Ich rannte, bis ich dieses schreckliche Rasseln nicht mehr hören konnte und die Kanonen weit entfernt schienen. Ich erinnere mich, dass ich noch einmal den Fluss überquerte, durch leere Gehöfte ga-

loppierte, über Zäune und Bäche und verlassene Schützengräben sprang, durch ausgestorbene, zerstörte Dörfer zog
und am Abend schließlich eine üppige, saftige Wiese fand
und aus einem klaren Bach voller Kieselsteine trank. Dann
überwältigte mich endlich die Erschöpfung, die Kraft in
meinen Beinen ließ nach und ich musste mich hinlegen
und schlafen.

Als ich aufwachte, war es dunkel und die Kanonen feuerten wieder rings um mich her. Wo ich auch hinsah, schien
der Himmel erleuchtet von den gelben Blitzen des Ge-
schützfeuers und von sporadischen weiß glühenden Lich-
tern, die mir in den Augen schmerzten und das Land für
kurze Zeit taghell erleuchteten. Wo auch immer ich hin-
ging, den Kanonen konnte ich offenbar nicht entkommen.
So war es wohl besser, hierzubleiben. Hier hatte ich wenigstens Gras und Trinkwasser genug.

Kaum hatte ich diesen Entschluss gefasst, explodierte
weißes Licht über mir, und das Rattern eines Maschinengewehrs, dessen Kugeln neben mir in den Boden peitschten,
zerriss die nächtliche Stille. Wieder rannte ich, rannte unablässig weiter in die Dunkelheit hinein, strauchelte über
Gräben und Hecken, bis die Felder kein Gras mehr hatten und die Bäume nur noch Stümpfe vor dem blitzenden
Himmel waren. Dort, wo ich mich jetzt befand, klafften
große Krater im Gelände, die mit trübem, stehendem Wasser gefüllt waren.

Als ich aus einem dieser Krater herauskletterte, taumelte
ich in einen unsichtbaren Stacheldrahtverhau, der mein

Vorderbein packte und mich in seinen Fängen hielt. Ich trat wild aus, um mich zu befreien, und spürte, wie die Stacheln sich in mein Bein gruben. Dann erst konnte ich mich losreißen. Von nun an humpelte ich nur noch langsam und bedächtig weiter durch die Nacht. Und dennoch muss ich einige Kilometer zurückgelegt haben, aber woher und wohin, werde ich nie erfahren. Mein Bein pochte ständig vor Schmerz, und von allen Seiten donnerten die großen Kanonen, und die Gewehre spien ihr Feuer in die Nacht. Blutend, zerschürft und in ohnmächtiger Angst sehnte ich mich nur noch nach Topthorn zurück. Er wüsste, wohin wir gehen sollten, sagte ich mir. Er wüsste es.

Ich stolperte weiter, in der festen Überzeugung, dass ich nur dort, wo die Nacht am schwärzesten war, ein wenig Schutz vor den Granaten finden würde. Hinter mir hatte das Donnern und Blitzen des Bombardements eine so ungeheure Gewalt angenommen, dass es das tiefe Schwarz der Nacht in einen unnatürlichen Tag verwandelte, und obwohl Topthorn irgendwo dort lag, war an eine Rückkehr nicht zu denken. Voraus und zu beiden Seiten tobte Gewehrfeuer, aber weit in der Ferne konnte ich den schwarzen Horizont einer ruhigen Nacht erkennen und so ging ich stetig in diese Richtung.

Mein verwundetes Bein wurde in der nächtlichen Kälte immer steifer und schmerzte mich jetzt, wenn ich es auch nur anhob. Ich merkte sehr schnell, dass ich es überhaupt nicht mehr belasten konnte. Dies sollte die längste Nacht meines Lebens werden, ein Albtraum aus Todesqualen,

Angst und Einsamkeit. Ich glaube, es war nur mein starker Überlebensinstinkt, der mich weitertrieb und auf den Beinen hielt. Ich spürte, dass meine einzige Chance darin bestand, den Lärm der Schlacht so weit wie möglich hinter mir zu lassen, also musste ich immer weitergehen. Von Zeit zu Zeit knatterten rundum die Karabiner und die Maschinengewehre, und ich stand da, gelähmt vor Angst, unfähig irgendeine Richtung zu wählen, bis das Feuer aufhörte und ich merkte, dass meine Muskeln sich doch wieder bewegen konnten.

Anfangs sah ich den Nebel nur in den Tiefen der Krater hängen, die ich passierte, doch nach einigen Stunden befand ich mich mitten in einem dichter werdenden, rauchigen Herbstnebel und konnte nur mehr undeutliche Schatten und Schemen aus Hell und Dunkel um mich herum wahrnehmen. Bald sah ich kaum noch etwas und verließ mich vollkommen auf das immer fernere Brüllen und Grollen des Trommelfeuers, stets darauf bedacht, es in meinem Rücken zu halten und weiterzugehen in die dunklere und stillere Welt voraus.

Schon dämmerte es durch den trüben Nebel, als ich vor mir gedämpfte, eindringliche Stimmen hörte. Ich blieb reglos stehen und lauschte und spähte angestrengt ins Zwielicht, um die Menschen ausfindig zu machen, die da sprachen. »Bereit machen, und zwar schnell! Beeilung, Leute!« Der Nebel dämpfte die Stimmen. Rasche Schritte und das Klappern von Gewehren waren zu hören. »Heb's auf, Junge, heb's auf. Was glaubst du eigentlich, was du hier treibst? Du putzt jetzt dieses Gewehr ab, und zwar flott.« Dann trat eine lange Stille ein und ich näherte mich behutsam den Stimmen, neugierig und ängstlich zugleich.

»Da ist es wieder, Sarge. Ich hab was gesehen, ich schwör's.«

»Und was soll es sein, Junge? Die ganze verdammte deutsche Armee, oder bloß einer oder zwei von denen beim Morgenspaziergang?«

»War kein Mann, Sarge, auch kein Deutscher – sah mir eher nach 'nem Pferd oder Rind aus.«

»Ein Rind oder ein Pferd? Dort draußen im Niemandsland? Und wie zum Teufel glaubst du, dass es da hingekommen ist? Junge, du bist zu lang aufgeblieben – deine Augen spielen dir Streiche.«

»Ich hab's auch gehört, Sarge, wirklich. Ehrlich, Sarge, ich schwör's.«

»Also, ich jedenfalls kann nichts sehen, gar nichts, Junge, und zwar deshalb, weil da nichts ist. Du bist mit den Nerven am Ende, Junge, und deine Nerven haben das ganze verdammte Bataillon eine halbe Stunde zu früh in Alarmbereitschaft versetzt, und wer wird der Arsch sein, wenn ich das dem Leutnant erzähle? Du hast ihm nämlich seinen Schönheitsschlaf verdorben, Junge. Hast all die freundlichen Captains und Majore und Brigadegenerale und all die netten Sergeants einfach aufgeweckt, nur weil du ein verfluchtes Pferd gesehen haben willst.« Und dann, mit erhobener Stimme, damit die anderen es hören konnten: »Aber wenn ich bedenke, dass wir nun schon in Alarmbereitschaft sind und dass hier eine elende Londoner Smogsuppe herrscht und dass der Fritz es immer gern hat, an unsere kleinen Unterstände zu klopfen, wenn wir ihn nicht kommen sehen, dann solltet ihr Jungs die Augen jetzt weit offen halten – vielleicht erleben wir dann unser Frühstück alle noch, jedenfalls heute Morgen. In ein paar Minuten wird 'ne Ration Rum durchgereicht – das wird eure Laune bessern –, aber bis dahin haltet ihr mit Luchsaugen Ausschau.«

Während er sprach, humpelte ich davon. Ich spürte, wie ich von Kopf bis Schweif zitterte in grauenhafter Furcht vor der nächsten Kugel oder Granate, und ich wollte nur noch allein sein, fern von jeglichem Lärm, ob er nun bedrohlich schien oder nicht. Geschwächt und verängstigt, wie ich war, hatte ich jeglichen Sinn für das Richtige verloren und wanderte durch den Nebel, bis meine gesunden Beine mich nicht mehr weitertragen konnten. Schließlich stand ich auf einem weichen, frischen Erdhügel neben einem faulig riechenden, wassergefüllten Krater, schonte mein verwundetes Bein und schnüffelte vergeblich am Boden nach etwas zu fressen. Aber dort, wo ich stand, wuchs kein Gras mehr und ich brachte auf einmal weder die Kraft noch den Willen auf, einen Schritt vorwärtszutun. Ich hob wieder den Kopf und blickte umher, um vielleicht etwas Gras in der Nähe zu entdecken, da spürte ich, wie der erste Sonnenstrahl durch den Nebel drang und auf meinen Rücken traf, und sanfte Wärmeschauer liefen durch meinen kalten, verkrampften Körper.

Nach wenigen Minuten begann sich der Nebel zu lichten und ich sah mit einem Mal, dass ich in einer breiten Schneise aus Schlamm stand, in einer wüsten, zerstörten Landschaft, zwischen zwei gewaltigen, endlosen Spiralen Stacheldraht, die sich vor und hinter mir in die Ferne erstreckten. Eine solche Landschaft hatte ich schon einmal gesehen, fiel mir ein, an einem Tag, als ich mit Topthorn quer darüber gestürmt war. Dies war, was die Soldaten das »Niemandsland« nannten.

Kapitel 16

Von beiden Seiten hörte ich allmählich lauter werdende aufgeregte Stimmen und Gelächter aus den Gräben dringen und immer wieder wurde der Befehl hinausgebellt, die Köpfe in Deckung zu halten und nicht zu schießen. Von meinem Erdhügel aus konnte ich nur gelegentlich kurz einen Stahlhelm erkennen, meine einzige Sicherheit, dass die Stimmen, die ich hörte, tatsächlich von Menschen aus Fleisch und Blut waren. Der süße Geruch von gekochtem Essen wehte zu mir herüber und ich hob die Nase, um ihn zu genießen. Er war süßer als der vom süßesten Kleie-Futterbrei, den ich je gegessen hatte, und hatte einen salzigen Beigeschmack. Dieser Duft nach warmem Essen lockte mich zuerst zu den Gräben auf der einen Seite, dann zu denen auf der anderen, doch jedes Mal, wenn ich mich einer Seite näherte, stieß ich auf einen undurchdringlichen Verhau aus lose ausgerolltem Stacheldraht. Die Soldaten feuerten mich an, sobald ich näher kam, sie hatten jetzt die Köpfe ganz aus der Deckung gehoben und winkten mich herbei;

und wenn ich am Stacheldraht umdrehen musste und das Niemandsland zur anderen Seite hin durchquerte, empfing mich dort auch ein pfeifender und klatschender Chor, doch ich konnte keinen Weg durch den Draht finden. Ich muss fast den ganzen Morgen im Zickzack durch das Niemandsland gelaufen sein, bis ich endlich mitten in dieser zerschossenen Einöde einen kleinen Flecken mit rauem, feuchtem Gras fand, das am Rand eines alten Kraters wuchs.

Ich riss gerade die letzten Grashalme aus, als ich aus den Augenwinkeln einen Mann in grauer Uniform aus dem Graben klettern sah, der eine weiße Fahne über dem Kopf schwang. Ich blickte auf und nun knipste er sich geschickt einen Weg durch den Draht und zog ihn beiseite. Unterdessen hörte man von der anderen Seite lautstarkes Schimpfen und verblüffte Schreie; bald kam eine kleine Gestalt mit Helm und flatterndem Khakifeldmantel ins Niemandsland hochgeklettert. Auch dieser Soldat hatte ein weißes Taschentuch in der einen Hand und bahnte sich nun einen Weg durch den Draht zu mir.

Der Deutsche hatte es als Erster geschafft und ließ hinter sich einen schmalen Durchgang offen. Langsam schritt er über das Niemandsland auf mich zu und rief dabei ständig, ich solle zu ihm kommen. Mir fiel schlagartig der liebe alte Friedrich ein, denn wie Friedrich hatte er graue Haare, eine schlampige, nicht zugeknöpfte Uniform und er sprach mit sanfter Stimme zu mir. In der einen Hand hielt er einen Strick, die andere streckte er mir entgegen. Er war immer noch viel zu weit weg, als dass ich ihn richtig hätte sehen können, aber nach meiner Erfahrung war eine Hand, die man mir anbot, oft mit irgendetwas gefüllt, und das erschien mir so verheißungsvoll, dass ich vorsichtig auf ihn zuhumpelte. Auf beiden Seiten standen jetzt johlende Männer auf den Grabenwällen und schwenkten die Helme über den Köpfen.

»Hey, Kleiner!« Der Ruf kam aus meinem Rücken und war eindringlich genug, um mich zum Stehen zu bringen. Ich wandte mich um und sah, wie der kleine Mann in Khaki, die Hand mit dem weißen Taschentuch hoch über dem Kopf, geschickt einen Weg durchs Niemandsland suchte. »Hey, Kleiner! Wo willst du denn hin? Wart doch mal. Du gehst in die falsche Richtung, weißt du.«

Die beiden Männer, die auf mich zukamen, hätten unterschiedlicher nicht sein können. Der eine in Grau war der größere der beiden, und während er näher trat, konnte ich sehen, dass die Jahre viele Falten in seinem Gesicht hinterlassen hatten. In seiner schlecht sitzenden Uniform wirkte er unbeholfen und liebenswürdig. Er trug keinen Helm, sondern hatte die flache Feldmütze mit dem roten Band, die mir so vertraut war, achtlos im Nacken sitzen. Keuchend stieß nun der Mann in Khaki zu uns, sein Gesicht war rot und noch jungenhaft glatt und sein runder Helm mit dem breiten Rand hing ihm schräg über dem Ohr. Einige angespannte, stumme Augenblicke lang standen die beiden nur Meter voneinander entfernt, beäugten sich wachsam und sagten kein Wort. Es war der junge Mann in Khaki, der das Schweigen brach und als Erster sprach.

»Und was machen wir nun?«, sagte er, kam auf uns zu und blickte den Deutschen an, der ihn schulterhoch überragte. »Wir sind zu zweit hier und müssen uns ein Pferd teilen. Klar, König Salomon hätte die Antwort gewusst, nicht wahr? Aber das wär in unserem Fall nicht besonders praktisch, stimmt's? Und schlimmer noch, ich kann kein Wort Deutsch, und ich sehe, dass du nicht verstehst, wovon zum Teufel ich rede, oder? Ach, zur Hölle, ich hätt nie hier rauskommen sollen, ich hab's doch gewusst. Weiß nicht, was über mich gekommen ist, und das alles nur wegen einem schlammigen alten Gaul.«

»Aber ich kann, ich kann ein bisschen schlechtes Englisch«, sagte der ältere Mann, der mir immer noch die hohle Hand unter die Nase hielt. Sie war voll mit Schwarzbrotstücken, einer Leckerei, die ich gut kannte, die aber für meinen Geschmack meist zu bitter war. Allerdings war ich jetzt zu hungrig, um wählerisch zu sein, und während er redete, leerte ich zügig seine Hand. »Ich kann nur ein bisschen Englisch – wie ein Schüler –, aber für uns zwei ist es wohl genug.« Und noch während er sprach, spürte ich, wie ein Seil langsam um meinen Hals gestreift und festgezurrt wurde. »Was unser anderes Problem angeht, gehört das Pferd mir, weil ich als Erster hier war. Das ist fair, nicht wahr? Wie bei euch beim Kricket?«

»Kricket! Kricket!«, sagte der junge Mann. »Wer in Wales hat denn je schon mal von diesem barbarischen Spiel gehört? Das ist was für die vermaledeiten Engländer. Rugby, das ist mein Spiel, und das ist im Grunde gar kein

Spiel. Das ist eine Religion, jawohl – da, wo ich herkomme. Ich war Gedrängehalbspieler für Maesteg, eh der Krieg mir einen Strich durch die Rechnung gemacht hat, und in Maesteg sagen wir, ein freier Ball ist unser Ball.«

»Sorry?«, sagte der Deutsche und runzelte besorgt die Stirn. »Ich kann nicht verstehen, was du damit sagen willst.«

»Macht nichts, Fritz. Nicht wichtig, jetzt nicht mehr. Wir hätten das alles friedlich regeln können, Fritz – den Krieg, meine ich –, und ich wär wieder in meinem Tal und du in deinem. Wie auch immer, nicht dein Fehler, schätz ich. Und meiner auch nicht, so weit kommt's noch.«

Inzwischen war das Gejohle auf beiden Seiten verebbt und die Soldaten sahen stumm und verblüfft zu, wie die beiden Männer neben mir sich unterhielten.

Der Waliser streichelte mir die Nase und kraulte mir die Ohren.

»Du kennst dich also mit Pferden aus?«, sagte der hochgewachsene Deutsche. »Wie schlimm ist diese Beinverletzung? Glaubst du, das Bein ist gebrochen? Er scheint es nicht zu belasten.«

Der Waliser bückte sich, hob sachte und fachkundig mein Bein an und wischte den Schlamm um die Wunde ab. »Er ist in üblem Zustand, aber ich glaub nicht, dass es gebrochen ist, Fritz. Es ist eine schlimme Wunde, ein tiefer Riss – sieht ganz nach Stacheldraht aus. Er muss schnell behandelt werden, sonst infiziert sich die Wunde und dann gibt es kaum noch Hoffnung für ihn. Mit einer solchen Schnittwunde muss er schon eine Menge Blut verloren haben. Die Frage ist allerdings, wer nimmt ihn? Wir haben irgendwo in der Etappe ein Tierhospital, das ihn aufnehmen könnte, aber ich schätze, ihr habt auch eins.«

»Ja, ich glaub schon. Es muss irgendwo sein, aber ich weiß nicht genau, wo«, sagte der Deutsche bedächtig. Und dann griff er tief in seine Tasche und brachte eine Münze zum Vorschein. »Du wählst die Seite, die du haben willst, ›Kopf oder Schwanz‹, sagt ihr, glaub ich. Ich zeige die Münze auf beiden Seiten rum, damit alle wissen, wer immer auch das Pferd gewinnt, es ist reines Glück. Dann verliert keiner die Ehre, ja? Und alle sind zufrieden.«

Der Mann aus Wales blickte bewundernd auf und lächelte. »Na gut, mach mal, Fritz, zeig ihnen die Münze und dann wirfst du sie und ich rufe.«

Der Deutsche hielt die Münze ins Sonnenlicht und drehte sich einmal langsam im Kreis, dann warf er sie hoch und sie wirbelte glitzernd durch die Luft. Während sie zu Boden fiel, rief der Waliser mit lauter, dröhnender Stimme, so dass alle ihn hören konnten: »Kopf!«

»Nun«, sagte der Deutsche und bückte sich nach der Münze. »Das ist das Gesicht meines Kaisers, das da aus dem Schlamm zu mir hochschaut, und er sieht nicht aus, als wäre er zufrieden mit mir. Also fürchte ich, du hast gewonnen. Das Pferd gehört dir. Kümmer dich gut darum, mein Freund.« Und er hob den Strick auf und reichte ihn dem Waliser. Dann streckte er mit freundschaftlicher und versöhnender Geste die andere Hand aus und ein Lächeln erhellte sein verwittertes Gesicht. »In einer Stunde, vielleicht in zwei«, sagte er, »werden wir wieder unser Bestes geben, um uns gegenseitig zu töten. Nur Gott weiß, warum wir das tun, und ich schätze, er hat es vergessen. Alles Gute, Mann aus Wales. Wir haben's ihnen gezeigt, was? Wir haben ihnen gezeigt, dass jedes Problem zwischen den Menschen gelöst werden kann, wenn sie einander nur vertrauen. Mehr braucht man nicht, oder?«

Der kleine Waliser schüttelte ungläubig den Kopf, als er den Strick nahm. »Fritz, Junge, ich glaub, wenn sie uns beiden hier draußen eine oder zwei Stunden geben würden, dann könnten wir diesen ganzen elenden Schlamassel klären. Es gäb keine weinenden Witwen und schreienden Kinder mehr in meinem Tal und auch nicht in deinem. Und wenn es hart auf hart käme, dann könnten wir immer noch eine Münze werfen, das wär doch was?«

»Wenn wir das tatsächlich so machen würden«, sagte der Deutsche glucksend, »dann wären wir die Gewinner. Das würde eurem Lloyd George sicher gar nicht gefallen.« Er legte einen Moment lang die Hände auf die Schultern des Walisers. »Pass auf dich auf, mein Freund, und alles Gute. Auf Wiedersehen.« Und er wandte sich ab und ging langsam über das Niemandsland davon, zurück zum Stacheldraht.

»Dir auch, Junge«, rief ihm der Waliser nach und dann wandte auch er sich um und führte mich hinüber zu den Soldaten in Khakiuniform, die jetzt vor Freude lachten und johlten, während ich durch die Lücke im Draht auf sie zuhumpelte.

Kapitel 17

Nur unter größten Schwierigkeiten schaffte ich es, auf meinen drei gesunden Beinen aufrecht stehen zu bleiben, als mich der Veterinärwagen an diesem Morgen von dem kleinen Helden aus Wales forttrug, der mich hinter die Front gebracht hatte. Eine wogende Menge Soldaten umringte mich und jubelte mir auf dem Weg zu.

Aber draußen auf den langen holprigen Straßen wurde ich so durchgerüttelt, dass ich bald das Gleichgewicht verlor und zu einem unbeholfenen, abgekämpften Haufen auf dem Wagenboden zusammensank. Mein verletztes Bein pochte heftig vor Schmerz, während der Wagen auf seiner langsamen Fahrt weg von der Front hin und her schwankte. Vorne zogen zwei stämmige schwarze Pferde, beide gut gepflegt und in tadellos geöltem Geschirr. Ich war so geschwächt von den langen Stunden des Schmerzes und des Hungers, dass ich nicht einmal mehr die Kraft hatte, mich aufzurichten, als ich spürte, dass die Räder unter mir endlich auf glattem Kopfsteinpflaster rollten und der Wagen in der warmen, blassen Herbstsonne ruckelnd zum Stillstand kam. Ein Chor aufgeregt wiehernder Pferde begrüßte mich und ich hob den Kopf, um nach ihnen zu sehen. Über den Seitenplanken konnte ich nur einen breiten, gepflasterten Hof erkennen mit zwei prachtvollen Ställen und einem großen Haus mit Erkern gegenüber. Aus jeder Boxentür ragte der Kopf eines neugierigen Pferds mit gespitzten Ohren. Männer in Khaki liefen überall umher und ein paar von ihnen eilten nun auf mich zu, einer mit einem Seilhalfter in der Hand.

Das Aussteigen war eine Qual, denn ich hatte kaum noch Kraft und meine Beine waren taub von der langen Fahrt. Aber die Männer schafften es, mich hochzuziehen, und führten mich mit sanfter Hand vorsichtig rückwärts die Rampe hinunter. Schlagartig war ich der Mittelpunkt des Hofs und wurde mit Bewunderung und Aufmerksamkeit überhäuft, umgeben von einer Schar Soldaten, die mich genauestens untersuchten und mich überall abtasteten.

»Was zum Donnerwetter treibt ihr hier eigentlich?«, dröhnte eine Stimme über den Hof. »Das ist 'n 'ferd. 'n ganz normales 'ferd.« Ein Hüne von einem Mann kam mit zackigen Stiefelschritten über das Pflaster auf uns zu. Sein massiges rotes Gesicht war halb verborgen unter dem Schirm seiner Mütze, der fast die Nase berührte, und unter einem rötlichen Schnurrbart, der von seiner Oberlippe bis zu den Ohren reichte. »Vielleicht wird es mal berühmt. Könnte der einzige verdammte Gaul sein, der in diesem verdammten Krieg lebend aus dem Niemandsland geholt worden ist. Aber es ist nur 'n 'ferd und 'n dreckiges noch dazu. Ich hab schon einige übel aussehende Exemplare hier erlebt, aber das ist das elendste, dreckigste, schlammigste 'ferd, das ich je gesehen hab. Eine Schande ist der, zum Donnerwetter, und ihr steht alle hier rum und starrt ihn an.« Er trug drei breite Streifen am Arm und die Falten seiner tadellosen Khakiuniform waren rasiermesserscharf. »Da ham wir gut hundert kranke 'ferde im Hospital und nur zwölf Leute, die sie versorgen können. Dieser junge Faulpelz hier hat die Weisung, sich um den Gaul zu kümmern, also kann der Rest von euch Mistkerlen sich wieder an die Arbeit machen, und zwar auf der Stelle, ihr faulen Affen, rührt euch!« Die Männer stoben in alle Richtungen davon und ließen einen jungen Soldaten bei mir zurück, der mich nun zu einer Box führen wollte. »Und du«, erscholl die dröhnende Stimme von neuem. »Major Martin wird in zehn Minuten aus dem Gutshaus kommen und dieses 'ferd untersuchen. Sieh zu, dass es verdammt noch mal so sauber ist und so glänzt, dass du es als Rasierspiegel benutzen könntest, klar?«

»Ja, Sergeant«, antwortete er. Und diese Antwort jagte mir einen jähen Schauder über den Rücken. Ich kannte die Stimme. Ich wusste aber nicht genau, wo ich sie schon einmal gehört hatte. Ich wusste nur, dass diese beiden Wörter mich vor Freude und hoffnungsvoller Spannung zittern ließen und mich innerlich wärmten.

Er führte mich langsam über das Pflaster und die ganze Zeit über versuchte ich sein Gesicht besser in den Blick zu bekommen. Aber er blieb gerade so weit vor mir, dass ich nur einen sauber rasierten Nacken und ein Paar rosa Ohren sehen konnte.

»Wie zum Teufel hast du dich dort draußen im Niemandsland verirren können, du alter Tollpatsch?«, fragte er. »Das wollen alle wissen, seit die Meldung einging, dass sie dich hierherbringen würden. Und wie zum Teufel hast du dich derart zugerichtet? Bist von Kopf bis Fuß voller Schlamm und Blut, ehrlich. Keine Ahnung, wie du unter all dem Dreck aussiehst. Werden wir aber bald sehen. Ich binde dich hier an und putz das Gröbste im Freien ab. Dann bürste ich dich richtig, bevor der Offizier kommt. Mach schon, du Tollpatsch. Wenn ich dich geputzt hab, kann der Offizier dich untersuchen und der versorgt auch diese üble Wunde, die du da hast. Kann dir nichts zu fressen geben, tut mir leid, und auch kein Wasser, bis er's erlaubt. Das hat der Sergeant mir gesagt. Nur für den Fall, dass sie dich operieren müssen.«

Er pfiff, während er die Bürsten ausputzte, und dieses Pfeifen passte genau zu der Stimme, die ich kannte. Es bestätigte meine aufkeimende Hoffnung und nun wusste ich, dass ich mich nicht irrte. Ich war vor Freude so überwältigt, dass ich auf die Hinterbeine stieg und laut wieherte, damit er mich erkannte. Er sollte sehen, wer ich war. »Hey, Vorsicht, du Tollpatsch. Hast mir fast den Hut runtergeschlagen«, sagte er gutmütig, hielt den Strick fest und rieb mir die Nase, wie er es immer getan hatte, wenn ich unglücklich war. »Ist doch nicht nötig. Das wird schon wieder werden mit dir. Ist alles halb so wild. Ich kannte mal ein junges Pferd, genau wie du, richtiger Springer war das, bis wir uns dann besser kennengelernt haben.«

»Redest schon wieder mit den Pferden, Albert?«, rief eine Stimme aus der Nachbarbox. »Heiliger Strohsack! Glaubst du, die verstehen auch nur ein einziges Wort von dem, was du sagst?«

»Manche von ihnen verstehen vielleicht nichts, David«, erwiderte Albert. »Aber eines Tages, eines Tages wird einer was verstehen. Der kommt dann hier rein und erkennt meine Stimme. Er muss hier reinkommen. Und dann kriegst du mal ein Pferd zu sehen, das jedes Wort versteht, das man zu ihm sagt.«

»Du fängst doch nicht schon wieder von deinem Joey an?« Der Kopf, der zu der Stimme gehörte, lehnte sich nun über die Boxentür. »Willst du denn nie aufgeben, Berty? Ich hab's dir doch gesagt, ich hab's dir tausendmal gesagt. Hier draußen sind fast 'ne halbe Million von diesen verdammten Gäulen und du bist bloß wegen der winzigen Chance zum Veterinärkorps gegangen, dass du über ihn stolperst.«

Ich scharrte mit meinem kranken Bein über den Boden, damit Albert mich näher in Augenschein nahm, aber er tätschelte mir nur den Hals und fing an mich zu putzen.

»Es steht eins zu 'ner halben Million, dass dein Joey hier reinspaziert. Du musst das nüchterner sehen. Er ist vielleicht tot – wie viele von denen. Vielleicht hat ihn die Kavallerie ins verdammte Palästina mitgenommen. Er könnte irgendwo an den ewig langen Gräben sein. Wenn du nicht so verflixt gut mit Pferden umgehen könntest und nicht mein bester Freund wärst, würd ich meinen, du hättest sie allmählich nicht mehr alle, so wie du ständig von deinem Joey anfängst.«

»Du wirst das schon verstehen, wenn du ihn siehst, David«, sagte Albert und kniete sich hin, um mir den verkrusteten Schlamm vom Bauch zu kratzen. »Wirst schon sehen. Es gibt kein zweites Pferd wie ihn auf der ganzen Welt. Er ist ein heller Rotbrauner mit schwarzer Mähne und schwarzem Schweif. Er hat einen weißen Stern auf der Stirn und vier weiße Socken, die bis auf den Zentimeter gleich hoch sind. Er ist sechzehn Handbreit groß und makellos von Kopf bis Schweif. Eins sag ich dir, wenn du ihn siehst, dann weißt du, dass er's ist. Ich könnt ihn in 'ner Herde von tausend Pferden erkennen. Er hat einfach was an sich. Ich hab dir von Captain Nicholls erzählt, weißt du noch? Dem Captain, der gefallen ist. Der Joey meinem Vater abgekauft hat und mir auch Joeys Bild geschickt hat; der hat es gewusst. Er hat es erkannt, kaum dass er ihn zum ersten Mal gesehen hat. Ich werd ihn finden, David. Deshalb bin ich ja überhaupt hierhergekommen, ich werd ihn finden. Entweder ich finde ihn oder er findet mich. Ich hab dir gesagt, dass ich ihm was versprochen hab, und das werd ich auch halten.«

»Du bist nicht mehr ganz dicht, Berty«, sagte sein Freund, öffnete die Boxentür und kam herein, um sich mein Bein näher anzusehen. »Bist nicht mehr ganz dicht, mehr kann ich dazu nicht sagen.« Er nahm meinen Huf und hob ihn vorsichtig hoch. »Der hier hat jedenfalls eine weiße Socke am Vorderbein – soweit ich das unter diesem ganzen Blut und Dreck sehen kann. Wenn ich schon mal hier bin, tupf ich für dich mal ein bisschen die Wunde aus und reinige sie. Sonst kriegst du den nie rechtzeitig geputzt. Ich hab meine ganzen Boxen schon ausgemistet. Hab nicht mehr viel zu tun und es sieht so aus, als ob du 'ne helfende Hand gebrauchen könntest. Der alte Sergeant Thunder wird nichts dagegen haben, solang ich alles erledigt hab, was er mir aufgetragen hat, und das hab ich.«

Die beiden Männer kratzten unermüdlich den Dreck von mir ab, bürsteten und wuschen mich. Ich blieb ganz ruhig stehen, versuchte nur Albert mit der Nase anzustupsen, damit er sich umdrehte und mich näher betrachtete. Aber er war jetzt mit meinem Schweif und meiner Hinterhand beschäftigt.

»Drei«, sagte sein Freund, der einen weiteren von meinen Hufen abgewaschen hatte. »Das sind jetzt schon drei weiße Socken.«

»Lass gut sein, David«, sagte Albert. »Ich weiß, was du denkst. Ich weiß, alle meinen, ich werd ihn nie finden. Es gibt Tausende Armeepferde mit vier weißen Socken, sicher – aber es gibt nur einen mit einem sternförmigen Abzeichen auf der Stirn. Und wie viele Pferde leuchten in der Abendsonne rot wie Feuer? Ich sag dir, es gibt keinen Zweiten wie ihn, auf der ganzen Welt nicht.«

»Vier«, sagte David. »Das macht vier Beine und vier

weiße Socken. Jetzt fehlt nur noch der Stern auf der Stirn und ein Klecks roter Farbe auf diesem Dreckspatz von einem Pferd und dein Joey steht vor dir.«

»Hör auf mich zu ärgern«, sagte Albert leise. »Hör auf damit, David. Du weißt, wie ernst es mir mit Joey ist. Für mich gäb's nichts Schöneres auf der Welt, als ihn wiederzufinden. War der einzige Freund, den ich je hatte, bevor ich in den Krieg gezogen bin. Hab ich dir erzählt. Ich bin praktisch mit ihm aufgewachsen. Das einzige Wesen auf dieser Welt, bei dem ich so was wie Verwandtschaft gespürt hab.«

David stand jetzt neben meinem Kopf. Er hob meine Mähne an und bürstete mir erst sachte, dann energisch die Stirn und blies mir den Staub von den Augen. Er stutzte und bürstete mich bis hinunter zur Nasenspitze und dann wieder oben zwischen den Ohren, bis ich ungeduldig den Kopf schüttelte.

»Berty«, sagte er leise. »Ich will dich nicht ärgern, ehrlich nicht. Jetzt nicht mehr. Du hast gesagt, dein Joey hätte vier weiße Socken, alle bis auf den Zentimeter gleich hoch? Stimmt's?«

»Stimmt«, sagte Albert, während er mir den Schweif bürstete.

»Und außerdem hätte er einen weißen Stern auf der Stirn?«

»Stimmt.« Albert zeigte immer noch nicht das geringste Interesse.

»Hör mal, ich hab noch nie so ein Pferd gesehen, Berty«,

sagte David und strich mir mit der Hand das Haar auf der Stirn glatt. »Hätt ich nicht für möglich gehalten.«

»Ist es aber, ganz sicher«, erwiderte Albert scharf. »Und wie gesagt, rot war er, feuerrot in der Sonne.«

»Das hätt ich nicht für möglich gehalten«, fuhr sein Freund mit bemüht ruhiger Stimme fort. »Jedenfalls bis jetzt nicht.«

»Ach, hör auf damit, David«, sagte Albert und jetzt lag echter Ärger in seiner Stimme. »Ich hab's dir gesagt, oder? Ich hab dir gesagt, es ist mir ernst mit Joey.«

»Mir auch, Berty. Todernst. Kein Jux, ich mein's ernst. Dieses Pferd hat vier weiße Socken – alle gleichmäßig gezeichnet, wie du gesagt hast. Dieses Pferd hat einen deutlichen weißen Stern auf der Stirn. Dieses Pferd hat, wie du selbst siehst, eine schwarze Mähne und einen schwarzen Schweif. Dieses Pferd ist sechzehn Handbreit groß, und wenn es mal richtig geputzt ist, dann ist es ein Bild von einem Pferd. Und unter all diesem Schlamm ist es ein Rotbrauner, genau wie du gesagt hast, Berty.«

Während David sprach, ließ Albert plötzlich meinen Schweif los und ging langsam um mich herum, wobei er die Hand über meinen Rücken gleiten ließ. Dann endlich standen wir uns gegenüber. Mir schien, dass sein Gesicht einen härteren Zug angenommen hatte; er hatte mehr Falten um die Augen und in Uniform wirkte er breitschultriger und größer, als ich ihn in Erinnerung hatte. Aber er war mein Albert und daran war kein Zweifel, er war mein Albert.

»Joey?«, sagte er behutsam und blickte mir in die Augen. »Joey?« Ich warf den Kopf hoch und rief ihm glücklich zu und mein Schrei hallte im ganzen Hof wider und holte Pferde und Männer an die Stalltüren. »Könnte sein«, sagte Albert leise. »Du hast Recht, David, er könnte es sein. Er klingt sogar wie er. Aber es gibt nur einen Beweis.« Und er band meinen Strick los und zog mir das Halfter vom Kopf. Dann wandte er sich ab und ging zum Tor davon, drehte sich zu mir um, legte die hohlen Hände an die Lippen und pfiff. Es war sein Eulenpfiff, das leise, stockende Pfeifen, mit dem er mich immer gerufen hatte, wenn wir vor all den langen Jahren zu Hause auf dem Hof gemeinsam hinaus auf die Felder gezogen waren. Plötzlich war der Schmerz in meinem Bein verschwunden und ich trottete leichtfüßig zu ihm hin und schmiegte meine Nase an seine Schulter.

»Er ist es, David«, sagte Albert, legte mir die Arme um den Hals und hielt mich an der Mähne fest. »Das ist mein Joey. Ich hab ihn gefunden. Er ist zu mir zurückgekommen, genau wie ich gesagt hab.«

»Siehst du?«, sagte David ganz trocken. »Hab ich nicht Recht gehabt? Siehst du? Ich täusch mich doch selten, nicht wahr?«

»Selten«, sagte Albert. »Selten, und diesmal nicht.«

Kapitel 18

In den glücklichen Tagen nach unserem Wiedersehen schien der Albtraum, den ich durchlebt hatte, unwirklich zu werden und zu verblassen und selbst der Krieg war mit einem Mal Ewigkeiten entfernt und bedeutungslos. Endlich hörte ich keine Kanonen mehr, und die einzige lebhafte Erinnerung daran, dass das Leid und der Kampf weitergingen, waren die Veterinärwagen, die regelmäßig von der Front kamen.

Major Martin reinigte meine Wunde und nähte sie; und obwohl ich mein Bein zunächst nach wie vor kaum belasten konnte, fühlte ich mich Tag für Tag stärker. Albert war wieder bei mir und das allein genügte als Medizin. Denn nun, da ich wieder richtig gefüttert wurde mit dem allmorgendlichen warmen Kleiebrei und süßem Heu, so viel ich nur essen konnte, war es bloß eine Frage der Zeit, bis ich mich erholte. Wie alle anderen Tiersanitäter musste sich Albert um viele Pferde kümmern, aber er verbrachte jede freie Minute, die er hatte, bei mir im Stall, um mich hochzupäppeln. Für seine Kameraden war ich eine Art Berühmtheit und so stand ich selten allein in der Box. Immer schaute irgendein Gesicht voll Bewunderung durch die Boxentür. Selbst der alte Thunder, wie sie den Sergeant nannten, sah eifrig nach dem Rechten bei mir, und wenn die anderen nicht da waren, tätschelte er mir die Ohren und kitzelte mich am Hals. »Bist 'n ganz hübscher Kerl, was? Donnerwetter, so ein Prachtstück von einem 'ferd sieht man nicht alle Tage. Nun aber schön gesund werden, hast du mich verstanden?«

Aber die Zeit verging und ich wurde nicht gesund. Eines Morgens schaffte ich es nicht einmal mehr, meinen Kleiebrei aufzuessen, und bei jedem scharfen Geräusch, etwa wenn jemand gegen einen Eimer stieß oder ein Riegel scharrend zurückgeschoben wurde, wurde ich schrecklich nervös und augenblicklich verkrampfte sich mein ganzer Körper. Vor allem meine Vorderbeine wollten nicht, wie sie sollten. Sie waren steif und müde und auf meinem Rückgrat lastete ein großer Schmerz, der mir in den Hals und selbst ins Gesicht kroch.

Albert merkte, dass etwas nicht stimmte, als er den Kleiebrei sah, den ich im Eimer gelassen hatte. »Was ist los mit dir, Joey?«, sagte er beklommen und streckte die Hand aus, um mich zu streicheln, wie er es oft tat, wenn er sich Sorgen machte. Doch selbst der Anblick seiner Hand, die auf mich zukam, sonst eine willkommene Geste der Zuneigung, löste Unruhe in mir aus und ich wich vor ihm zurück in die Ecke der Box. Dabei merkte ich, dass ich mich mit meinen steifen Vorderbeinen kaum bewegen konnte. Ich stolperte rückwärts, kippte hinten an die Backsteinmauer und lehnte mich schwer dagegen.

»Hab mir schon gestern gedacht, dass irgendwas nicht stimmt«, sagte Albert, er stand nun ruhig in der Mitte der Box. »Sahst mir doch ein wenig blass aus. Dein Rücken ist steif wie ein Brett und du bist schweißnass. Was zum Teufel hast du denn angestellt, alter Tollpatsch?« Er kam jetzt langsam näher, und obwohl ich wieder instinktiv vor Angst zusammenzuckte, als er mich berührte, blieb ich stehen und ließ es zu, dass er mich streichelte. »Womöglich hast du bei deinen Streifzügen irgendwas gefressen. Vielleicht was Giftiges? Aber das hätten wir doch schon früher bemerkt, oder? Wird schon wieder werden, Joey, aber ich geh und hol Major Martin, nur für alle Fälle. Der wird dich untersuchen, und wenn was nicht stimmt, dann kriegt er dich schon wieder in Ordnung, ›mir nichts, dir nichts‹, wie mein Vater immer sagt. Was der jetzt wohl denken würde, wenn er uns zusammen sehen könnte? Er hat ohnehin nie geglaubt, dass ich dich finde, hat gemeint, ich wär ein Dummkopf, wenn ich in den Krieg ginge. Das sei umsonst und ich würd wohl nicht mehr lebend zurückkommen. Aber nachdem du weg warst, Joey, ist er ein ganz anderer Mensch geworden. Er wusste, dass er etwas Unrechtes getan hatte, und deshalb war er auch nicht mehr so gemein. Er schien nur noch zu leben, um die Sache wiedergutzumachen. Er hörte auf jeden Dienstag zu saufen und kümmerte sich um meine Mutter, wie damals, als ich noch klein war, und allmählich hat er sogar mich anständig behandelt – jedenfalls nicht mehr wie ein Arbeitspferd.«

Ich merkte an dem sanften Ton seiner Stimme, dass er versuchte mich zu beruhigen, wie er es all die langen Jahre getan hatte, als ich noch ein wildes und verängstigtes Fohlen war. Damals hatten mich seine Worte besänftigt, aber jetzt begann ich haltlos zu zittern. Jeder Nerv in mir schien angespannt und ich atmete schwer. Jede Faser meines Körpers empfand ein völlig unerklärliches Gefühl von Angst und Grauen.

»Ich bin gleich wieder da, Joey«, sagte er. »Mach dir keine Sorgen. Wird schon werden. Major Martin kriegt dich wieder hin – der Mann wirkt Wunder bei Pferden.« Und er wandte sich ab und ging hinaus.

Es dauerte nicht lange, dann kam er zurück, zusammen mit seinem Freund David, mit Major Martin und Sergeant Thunder; doch nur Major Martin trat in die Box, um mich zu untersuchen. Die anderen beugten sich über die Tür und sahen zu. Der Major trat vorsichtig näher, kniete sich neben meinem Vorderbein hin und besah sich die Wunde. Dann tastete er mit den Händen meinen ganzen Körper ab, von den Ohren über meinen Rücken bis zum Schweif, und endlich machte er einen Schritt zurück an die Boxenwand, um mich eingehend zu betrachten. Er schüttelte traurig den Kopf, als er sich zu den anderen umdrehte.

»Was meinen Sie, Sergeant?«, fragte er.

»Dasselbe wie Sie, so wie er aussieht«, sagte Sergeant Thunder. »Er steht da wie 'n Holzklotz. Der Schweif steht

143

ab, den Kopf kann er kaum bewegen. Da gibt's kaum 'nen Zweifel, nicht wahr, Sir?«

»Keinen«, sagte Major Martin. »Nicht den geringsten. Wir haben hier draußen recht viele von diesen Fällen. Wenn es kein verfluchter rostiger Stacheldraht ist, dann eben eine Schrapnellwunde. Ein kleiner Splitter, der stecken bleibt, ein Schnitt – das reicht schon. Ich seh das immer wieder. Tut mir leid, junger Mann«, sagte der Major und legte Albert tröstend die Hand auf die Schulter. »Ich weiß, wie viel Ihnen dieses Pferd bedeutet. Aber wir können herzlich wenig für ihn tun, nicht in seinem Zustand jedenfalls.«

»Was meinen Sie damit, Sir?«, fragte Albert mit einem Zittern in der Stimme. »Was heißt das, Sir? Was ist los mit ihm, Sir? Kann doch nichts Schlimmes sein, oder? Gestern war er noch putzmunter, nur sein Futter hat er nicht aufgefressen. War vielleicht 'n bisschen steif, aber ansonsten putzmunter, ganz sicher.«

»Es ist Tetanus, Junge«, sagte Sergeant Thunder. »Man nennt das auch Wundstarrkrampf. Bei ihm sieht man es auf den ersten Blick. Diese Wunde da muss schon geeitert haben, bevor wir ihn reinbekamen. Und sobald 'n 'ferd Tetanus hat, gibt's kaum noch 'ne Chance, praktisch keine.«

»Besser, wenn wir ihm ein schnelles Ende bereiten«, sagte Major Martin. »Hat keinen Sinn, ein Tier leiden zu lassen. Besser für ihn und besser für Sie.«

»Nein, Sir«, protestierte Albert, der es immer noch nicht glauben wollte. »Nein, das dürfen Sie nicht, Sir. Nicht bei

Joey. Wir müssen irgendwas versuchen. Es muss etwas geben, was Sie tun können. Sie können ihn nicht einfach aufgeben, Sir. Das dürfen Sie nicht. Nicht bei Joey.«

Jetzt mischte sich auch David ein, um ihm zu helfen. »Ich bitte um Verzeihung, Sir«, sagte er. »Aber als wir hier angekommen sind, haben Sie uns als Erstes gesagt, dass das Leben eines Pferdes vielleicht noch wichtiger ist als das von einem Menschen, weil in 'nem Pferd, da steckt nichts Böses, nur das, was der Mensch reingesteckt hat. Ich weiß noch, wie Sie gesagt haben, wir im Veterinärkorps hätten die Aufgabe, Tag und Nacht zu arbeiten, sechsundzwanzig Stunden am Tag, wenn nötig, um jedem Pferd zu helfen und es möglichst zu retten. Jedes Pferd sei etwas Wertvolles und wichtig für den Krieg. Kein Pferd, keine Kanonen. Kein Pferd, keine Munition. Kein Pferd, keine Kavallerie. Kein Pferd, keine Sanitätswagen. Kein Pferd, kein Wasser für die Truppen an der Front. Rettungsanker für die ganze Armee, haben Sie gesagt, Sir. Wir dürften nie aufgeben, denn wo Leben sei, sei auch noch Hoffnung. Das alles war'n Ihre Worte, Sir, mit Verlaub, Sir.«

»Pass auf, was du sagst, Bursche«, warf Sergeant Thunder bissig ein. »So spricht man nicht zu einem Offizier. Wenn der Major hier glauben würde, es gäb auch nur 'ne Chance von eins zu einer Million, dass man dieses arme Tier retten kann, dann würd er's versuchen, nicht wahr, Sir? Ist doch korrekt, Sir?«

Major Martin sah Sergeant Thunder scharf an, dachte über seine Worte nach und nickte langsam. »Nun gut, Sergeant. Sie haben Recht. Natürlich gibt es eine Möglichkeit«, sagte er bedächtig. »Aber wenn wir es tatsächlich mit einem Fall von Tetanus aufnehmen wollen, dann brauchen wir einen Mann, der sich mindestens einen Monat lang ständig um das Pferd kümmert, und selbst dann steht es gerade mal eins zu tausend, dass es durchkommt, wenn überhaupt.«

»Bitte, Sir«, flehte Albert. »Bitte, Sir. Ich übernehm das alles, Sir, und die anderen Pferde schaff ich auch noch, Sir. Das mein ich ehrlich, Sir.«

»Und ich helf ihm dabei, Sir«, sagte David. »Die ganzen Jungs hier auch. Da bin ich mir sicher. Verstehen Sie, Sir, Joey ist für uns alle hier 'n bisschen was Besonderes, immerhin war er Bertys eigenes Pferd zu Hause und so.«

»Das ist die richtige Einstellung, junger Mann«, sagte Sergeant Thunder. »Und es stimmt, Sir, mit dem 'ferd hier hat es so seine Bewandtnis, wissen Sie, nach all dem, was es durchgemacht hat. Mit Ihrer Erlaubnis, Sir, sollten wir ihm diese Chance geben, denke ich. Ich persönlich übernehme die Verantwortung dafür, dass kein anderes 'ferd vernachlässigt wird. Die Ställe werden wie immer tipptopp in Ordnung gehalten.«

Major Martin legte die Hände auf die Boxentür. »Gut, Sergeant«, sagte er. »Einverstanden. Packen wir die Sache an. Diese Box hier muss mit einer Halteschlinge ausgerüstet werden. Das Pferd darf sich auf keinen Fall hinlegen. Wenn es mal am Boden liegt, steht es nie wieder auf. Sergeant, ich befehle außerdem, dass in diesem Stall ab jetzt nur noch geflüstert wird. Das Pferd verträgt keinen Lärm, nicht mit Tetanus. Es muss auf kurz geschnittenem, sauberem Stroh stehen, das jeden Tag gewechselt wird. Die Fenster werden verhängt, es wird ständig im Dunkeln gehalten. Als Futter kein Heu – es könnte daran ersticken –, nur Milch und Haferschleim. Zunächst mal wird es ihm schlechter gehen, ehe es sich erholt – was wir hoffen wollen. Sie werden feststellen, dass seine Maulsperre mit der Zeit immer schlimmer wird, aber es muss weiter fressen und trinken. Wenn nicht, dann stirbt es. Dieses Pferd braucht eine Wache rund um die Uhr – das heißt, ein Mann muss Tag und Nacht hier drin auf Posten sein. Verstanden?«

»Ja, Sir«, sagte Sergeant Thunder und unter seinem Schnurrbart breitete sich ein Lächeln aus. »Und wenn Sie mir eine Bemerkung gestatten, Sir, ich glaube, Sie haben eine sehr weise Entscheidung getroffen. Ich werde für alles sorgen, Sir. Und ihr beiden Faulenzer bewegt euch jetzt. Ihr habt gehört, was der Major gesagt hat.«

Noch am selben Tag zogen sie eine Schlinge um mich herum, die am Dachbalken befestigt wurde, um mir die Last meines Körpers abzunehmen. Major Martin öffnete von neuem meine Wunde, reinigte sie und brannte sie aus. Alle paar Stunden kam er vorbei, um mich zu untersuchen. Natürlich war es Albert, der die meiste Zeit bei mir blieb und mir den Eimer ans Maul hielt, so dass ich die warme Milch oder den Haferschleim aufschlürfen konnte. Nachts schliefen David und er nebeneinander in einer Ecke des Stalls und wechselten sich bei meiner Bewachung ab.

Wie ich es inzwischen gewohnt war und auch brauchte, redete Albert mir zu, so gut er konnte, um mich zu beruhigen, bis er sich todmüde wieder in seine Ecke verzog, um zu schlafen. Er sprach oft von seinem Vater und seiner Mutter und vom Hof. Er redete von einem Mädchen, mit dem er sich im Dorf einige Monate lang getroffen hatte, ehe er nach Frankreich ging. Sie verstand überhaupt nichts von Pferden, meinte er, aber das sei ihr einziger Fehler.

Die Tage vergingen langsam und qualvoll. Die Steifheit in meinen Vorderbeinen breitete sich auf meinen Rücken aus und wurde schlimmer; mein Appetit schwand mit jedem Tag und ich brachte kaum die Kraft oder den Willen auf, die Nahrung zu schlürfen, die ich brauchte, um am Leben zu bleiben. In der düstersten Zeit der Krankheit, als ich mir jeden Tag sicher war, es würde mein letzter sein, hielt nur Alberts ständige Gegenwart meinen Lebenswillen aufrecht. Durch seine Hingabe, seine unerschütterliche Zuversicht, dass ich es tatsächlich schaffen könnte, schenkte er mir den Mut, den ich brauchte, um nicht aufzugeben. Rund um mich herum hatte ich Freunde, David und all die anderen Tierpfleger, Sergeant Thunder und Major Martin – aus ihnen allen schöpfte ich große Hoffnung. Ich wusste, wie verzweifelt sie um mein Leben kämpften, auch wenn ich mich oft fragte, ob sie es meinetwegen oder wegen Albert taten, denn ich wusste, wie sehr sie ihn schätzten. Aber im Grunde glaube ich, dass sie sich um uns beide sorgten, als wären wir ihre Brüder.

Dann, eines Winterabends, nach langen, schmerzhaften

Wochen in der Schlinge, spürte ich plötzlich, dass meine Kehle und mein Hals sich lockerten, und es gelang mir zum ersten Mal, wenn auch leise, zu wiehern. Albert saß wie immer an die Wand gelehnt in der Ecke der Box, die Knie angezogen und die Ellbogen daraufgestützt. Er hatte die Augen geschlossen, also wieherte ich wieder leise, aber doch so laut, dass er aufwachte.

»Warst du das, Joey?«, fragte er und stand auf. »Warst du das, alter Tollpatsch? Mach's noch mal, Joey. Vielleicht hab ich geträumt. Mach's noch mal.«

So rief ich noch einmal und hob auch zum ersten Mal seit Wochen den Kopf und schüttelte ihn. David hörte es ebenfalls und war gleich auf den Beinen und rief zur Stalltür hinaus, dass alle herkommen sollten. In wenigen Minuten wimmelte es im Stall von aufgeregten Soldaten. Sergeant Thunder bahnte sich einen Weg durch die Menge und baute sich vor mir auf.

»Laut Anordnung darf hier nur geflüstert werden«, sagte er. »Und das war zum Donnerwetter noch mal kein Flüstern, was ich da gehört hab. Was gibt's? Was soll denn dieser ganze Radau?«

»Er hat sich bewegt, Sarge«, sagte Albert. »Sein Kopf hat sich leicht bewegt und er hat gewiehert.«

»'türlich hat er das, Junge«, sagte Sergeant Thunder. »'türlich hat er das. Der wird durchkommen. Wie ich gesagt hab. Ich hab's euch doch immer gesagt, oder? Und hat einer von euch Faulenzern je erlebt, dass ich mich geirrt hab?«

»Nein, Sarge«, sagte Albert und grinste über beide Ohren. »Es geht ihm langsam besser, nicht wahr, Sarge? Ich bild mir das nicht nur ein, oder?«

»Nein, Junge«, sagte Sergeant Thunder. »Dein Joey wird wieder gesund, so wie der aussieht, wenn wir ihn nur in Ruhe lassen und ihn nicht drängeln. Wenn's mir mal dreckig geht, kann ich nur hoffen, dass ich auch 'fleger um mich rum hab, die sich um mich kümmern, wie ihr euch um dieses 'ferd gekümmert habt. Aber wenn ich mich so umgucke, dann hätt ich doch lieber 'n paar hübsche Krankenschwestern!«

Kurz darauf spürte ich meine Beine wieder und mein Rücken war nicht mehr steif. Sie nahmen mich aus der Schlinge und an einem Frühlingsmorgen führten sie mich auf den gepflasterten Hof, hinaus in den Sonnenschein. Es war eine Siegesparade, bei der Albert rückwärtsging, mich behutsam führte und mir ständig gut zuredete. »Du hast es geschafft, Joey. Du hast es geschafft. Alle sagen, der Krieg ist bald zu Ende – ich weiß, das behaupten wir schon seit langem, aber diesmal spür ich es in den Knochen. Nicht lange, und es ist aus und dann gehen wir beide nach Hause, zurück auf den Hof. Ich kann's kaum erwarten, was für ein Gesicht mein Vater macht, wenn ich dich wieder nach Hause bringe. Ich kann's kaum erwarten.«

Kapitel 19

Aber der Krieg ging nicht zu Ende. Vielmehr rückte er uns offenbar immer näher und wir hörten jetzt wieder das unheilvolle Grollen der Artillerie. Ich war inzwischen fast genesen, und obwohl ich von der Krankheit noch geschwächt war, setzte man mich schon für leichtere Arbeiten im Tierhospital ein. Ich arbeitete in einem Zweiergespann, holte Heu und Futter von der nächsten Bahnstation oder zog den Mistkarren über den Hof. Ich fühlte mich wieder frisch und brannte darauf, etwas zu tun. Meine Beine und Schultern kräftigten sich und im Lauf der Wochen spürte ich, dass ich jeden Tag länger im Geschirr stehen konnte. Sergeant Thunder hatte Albert angewiesen bei mir zu bleiben, wenn ich draußen war, und so waren wir selten voneinander getrennt. Ab und zu jedoch wurde Albert wie alle Tierpfleger mit dem Veterinärwagen zur Front geschickt, um die frisch verwundeten Pferde zu bergen, und dann grämte und ärgerte ich mich, den Kopf auf die Stalltür gelegt, bis ich das ferne Rumpeln der Räder auf dem Pflaster hörte und sein fröhliches Winken sah, wenn er durch den Torbogen in den Hof gefahren kam.

Eines Tages war es so weit und auch ich zog wieder in den Krieg, zurück zur Front, zum Jaulen und Donnern der Granaten, das ich so gerne für immer hinter mir gelassen hätte. Inzwischen war ich vollkommen wiederhergestellt und der ganze Stolz von Major Martin und seiner Veterinäreinheit, die mich oft als Führungspferd in einem Tandem einsetzten, das mit dem Veterinärwagen zur Front und wieder zurück fuhr. Doch Albert war immer bei mir und so hatte ich keine Angst mehr vor den Kanonen. Wie vor ihm schon Topthorn schien er zu spüren, dass er mich ständig daran erinnern musste, dass er da war und mich beschützte. Seine leise, sanfte Stimme, seine Lieder und sein melodiöses Pfeifen halfen mir ruhig Blut zu bewahren, wenn die Granaten einschlugen.

Während des ganzen Wegs zur Front und wieder zurück redete er mir beruhigend zu. Manchmal ging es um den Krieg. »David meint, der Fritz ist jetzt erledigt, der hat sein Pulver verschossen«, sagte er an einem summenden Sommertag, als wir an endlosen Kolonnen von Infanterie und Kavallerie vorbeikamen, die auf dem Weg zur Front waren. Wir hatten eine erschöpfte graue Stute geladen, eine Wasserträgerin, die aus dem Schlamm der vorderen Linien gerettet worden war. »Weiter oben an der Front haben sie uns zwar angeblich völlig auf dem falschen Fuß erwischt. Aber David meint, das ist ihr letzter Seufzer, denn wenn diese Yankees mal in Gang kommen und wir uns gut halten, könnte bis Weihnachten alles vorbei sein. Ich hoffe, er hat Recht, Joey. Das hat er meistens – das, was David sagt, nehm ich einigermaßen ernst, und die andern auch.«

Und manchmal redete er von zu Hause und von seinem Mädchen im Dorf. »Maisie Cobbledick heißt sie, Joey. Arbeitet im Melkschuppen oben auf Ansteys Hof. Und wie gut sie backen kann. Oh, Joey, sie backt ein Brot, so was hast du noch nicht gegessen, und selbst Mutter meint, ihre süßen Teilchen sind die besten in der ganzen Gemeinde. Vater sagt, sie ist zu gut für mich, aber das meint er nicht ernst. Er will mir nur eine Freude machen. Und sie hat Augen, Augen, so blau wie Kornblumen, Haare, so golden wie reifer Weizen, und ihre Haut riecht wie Geißblatt – außer wenn sie gerade aus dem Melkschuppen kommt. Dann geh ich nicht zu nah an sie ran. Ich hab ihr alles über dich erzählt, Joey. Und sie war die Einzige, hörst du, die Einzige, die gesagt hat, dass es richtig ist, hier rüberzukommen und dich zu suchen. Sie wollte nicht, dass ich gehe. Glaub das bloß nicht. Hat sich am Bahnhof die Augen ausgeheult, als ich fuhr, also muss sie mich ein bisschen lieb haben, oder? Komm schon, du Tollpatsch, sag was. Das ist das Einzige, was mich an dir stört, Joey, du bist der beste Zuhörer, den ich kenne, aber ich weiß nie, was zum Teufel du so denkst. Du zwinkerst einfach mit den Augen und wackelst mit deinen Ohren da von Ost nach West und von Süd nach Nord. Ich wünschte, du könntest reden, Joey, das wär nicht schlecht.«

Dann, eines Abends, kam eine schreckliche Nachricht von der Front, die Meldung, dass Alberts Freund David gefallen war, zusammen mit den beiden Pferden, die an jenem Tag den Veterinärwagen gezogen hatten. »Eine verirrte Granate«, erklärte mir Albert, als er das Stroh für meine Box hereinbrachte. »Das war's, haben sie gesagt – eine verirrte Granate aus heiterem Himmel, und er ist nicht mehr da. Ich werd ihn vermissen, Joey. Wir werden ihn beide vermissen, was?« Und er setzte sich in die Ecke meiner Box. »Weißt du, was er vor dem Krieg war, Joey? Er hatte einen Marktkarren in London, vor Covent Garden. Hat 'ne Menge von dir gehalten, Joey. Hat er mir oft genug erzählt. Und er hat sich um mich gekümmert, Joey. War wie ein Bruder zu mir. Zwanzig Jahre alt. Das ganze Leben hatte er noch vor sich. Und jetzt ist alles zerstört, wegen einer verirrten Granate. Er hat es mir immer wieder gesagt. ›Wenn ich draufgehe‹, hat er gesagt, ›dann vermisst mich wenigstens keiner. Nur mein Karren – und den kann ich nicht mitnehmen, jammerschade.‹ Er war stolz auf seinen Marktkarren, hat mir ein Foto gezeigt, wie er danebenstand. Ganz angemalt war der, hatte Berge von Obst obendrauf und David stand daneben und hat über beide Ohren gegrinst.« Albert sah zu mir hoch und wischte sich die Tränen von den Wangen. Er sprach mit zusammengebissenen Zähnen. »Jetzt sind nur noch du und ich übrig, Joey, und ich sag dir, wir schaffen es nach Hause, und zwar alle beide. Dann läute ich in der Kirche wieder meine Tenorglocke und ess das Brot und die süßen

Teilchen, die meine Maisie bäckt, und reite wieder mit dir unten am Fluss. David hat immer gesagt, irgendwie hätte er das sichere Gefühl, wir beide würden nach Hause kommen, und er hatte Recht. Ich werd dafür sorgen, dass er Recht hatte.«

Als dann der Krieg tatsächlich zu Ende war, schienen die Männer fast überrascht, wie schnell es gegangen war. Es kam kaum Freude auf, der Sieg wurde kaum gefeiert, nur eine tiefe Erleichterung war zu spüren, dass nun endgültig alles vorbei war. Albert verließ die Horde glücklicher Soldaten, die sich an jenem kalten Novembermorgen auf dem Hof versammelt hatte, und schlenderte herüber, um zu mir zu reden. »Fünf Minuten noch, dann ist es aus, Joey, endgültig. Der Fritz hat die Nase voll, und wir auch. Keiner will mehr so recht weitermachen. Um elf Uhr verstummen die Kanonen und das war's dann. Wenn doch nur David hier wär und das erleben könnte.«

Seit Davids Tod war Albert nicht mehr der Alte. Ich hatte ihn kein einziges Mal mehr lächeln oder scherzen sehen, und oft, wenn er bei mir war, versank er in ein langes, grüblerisches Schweigen. Kein Singen, kein Pfeifen war von ihm mehr zu hören. Ich versuchte alles, um ihn aufzuheitern, legte ihm den Kopf auf die Schulter und wieherte ihm freundlich zu, aber er schien ganz untröstlich. Selbst die Nachricht, dass der Krieg nun doch zu Ende ging, brachte das Leuchten in seinen Augen nicht zurück. Die Glocke im Uhrenturm über dem Tor schlug elf und die Männer schüttelten feierlich die Hände oder schlugen sich auf die Schultern, ehe sie wieder in die Ställe gingen.

Die Früchte des Sieges sollten später bitter für mich werden, aber vorerst änderte das Kriegsende wenig. Im Tierhospital ging die Arbeit wie gewohnt weiter, der Strom der kranken und verletzten Pferde schien eher noch zuzunehmen, als weniger zu werden. Vom Hoftor aus sahen wir die endlosen Kolonnen von Soldaten beschwingt zurück zu den Bahnstationen marschieren und wir beobachteten, wie die Panzer und die Kanonen und die Wagen auf dem Nachhauseweg vorbeirollten. Aber uns ließ man, wo wir waren. Wie alle anderen Männer wurde Albert langsam ungeduldig. Wie sie wollte er nur eins, nämlich so schnell wie möglich nach Hause.

Der morgendliche Appell fand jeden Tag mitten auf dem gepflasterten Hof statt, danach kam Major Martin, um die Pferde und Ställe zu inspizieren. Doch an einem trüben, nieseligen Morgen, das nasse Pflaster glänzte grau im ersten Licht, kam Major Martin nicht wie sonst zu den Ställen. Sergeant Thunder befahl den Männern, sich zu rühren, und Major Martin erläuterte die Pläne zur Wiedereinschiffung der Einheit. Er schloss seine kurze Rede mit den Worten: »Also werden wir Samstagabend gegen sechs Uhr in Victoria Station sein – wenn wir Glück haben. Sieht so aus, als wären Sie alle Weihnachten wieder zu Hause.«

»Bitte um das Wort, Sir«, warf Sergeant Thunder ein.

»Nur zu, Sergeant.«

»Es geht um die 'ferde, Sir«, sagte Sergeant Thunder. »Ich schätze, die Männer wollen wissen, was mit den 'ferden passiert. Sind sie mit uns auf dem Schiff, Sir? Oder kommen sie später nach?«

Major Martin trat von einem Bein aufs andere und senkte den Blick auf seine Stiefel. Er sprach leise, als ob er nicht gehört werden wollte. »Nein, Sergeant«, sagte er. »Ich fürchte, die Pferde werden überhaupt nicht mit uns kommen.« Von den zum Appell angetretenen Soldaten kam ein empörtes Raunen.

»Sie meinen, Sir«, sagte der Sergeant, »Sie meinen, dass sie auf einem anderen Schiff nachkommen?«

»Nein, Sergeant«, sagte der Major und schlug sich mit seinem Offiziersstab an die Seite. »Das meine ich nicht. Ich meine genau, was ich gesagt habe. Ich meine, dass sie überhaupt nicht mitkommen werden. Die Pferde werden in Frankreich bleiben.«

»Hier, Sir?«, sagte der Sergeant. »Aber wie soll das gehen, Sir? Wer wird sie pflegen? Wir haben Fälle hier, um die muss man sich Tag und Nacht kümmern.«

Der Major nickte, die Augen immer noch zu Boden gerichtet. »Es wird Ihnen nicht gefallen, was ich Ihnen jetzt zu sagen habe«, erklärte er. »Ich fürchte, es wurde entschieden viele von den Armeepferden hier in Frankreich zu verkaufen. Alle Pferde, die wir haben, sind entweder krank oder waren es. Man hält es für überflüssig, sie wieder nach Hause zu transportieren. Mein Befehl lautet, morgen früh auf diesem Hof eine Pferdeauktion zu veranstalten. Zu diesem Zweck wurden überall in den Städten der Umgebung Plakate aufgehängt. Die Pferde sollen versteigert werden.«

»Versteigert, Sir? Unsere 'ferde sollen unter den Hammer kommen, nach all dem, was sie durchgemacht haben?« Der Sergeant sprach höflich, doch es war hart an der Grenze. »Aber Sie wissen, was das heißt, Sir? Sie wissen, was passieren wird?«

»Ja, Sergeant«, sagte Major Martin. »Ich weiß, was mit ihnen passieren wird. Doch da ist nichts zu machen. Wir sind in der Armee, Sergeant, und Befehl ist Befehl, daran muss ich Sie nicht erinnern.«

»Aber Sie wissen, was ihnen bevorsteht«, sagte Sergeant Thunder mit kaum verhohlenem Abscheu in der Stimme. »Hier draußen in Frankreich sind Tausende von unseren 'ferden, Sir. Das sind Kriegsveteranen. Wollen Sie sagen, dass sie, nach allem, was sie durchgemacht haben, nachdem wir uns so um sie gekümmert haben, nach allem, was Sie getan haben, Sir – dass sie auf diese Weise enden sollen? Ich kann nicht glauben, dass man das ernst meint, Sir.«

»Nun, ich fürchte, es ist so«, sagte der Major steif. »Manche von den Tieren werden so enden, wie Sie vermuten – das kann ich nicht bestreiten, Sergeant. Sie sind ganz zu Recht empört, ganz zu Recht. Ich selbst bin nicht gerade froh darüber, wie Sie sich vorstellen können. Aber morgen Abend werden die meisten von diesen Pferden verkauft sein und übermorgen räumen wir selber das Quartier. Und Sie wissen genau wie ich, Sergeant, dass ich kein Jota daran ändern kann.«

Alberts Stimme gellte über den Hof. »Was, wirklich alle, Sir? Jedes einzelne Pferd? Selbst Joey, den wir von den Toten zurückgeholt haben? Selbst er?«

Major Martin sagte nichts, sondern machte auf den Fersen kehrt und marschierte davon.

Kapitel 20

An diesem Tag herrschte draußen auf dem Hof eine spür-
bar verschwörerische Atmosphäre. Eindringlich flüsternde
Männer standen in Grüppchen beisammen, die Kragen ihrer tropfnassen Feldmäntel hochgeschlagen, damit ihnen
der Regen nicht in den Nacken tropfte. Albert schien den
ganzen Tag kaum auf mich zu achten. Er redete nicht mit
mir und sah mich nicht einmal an, sondern brachte hastig
hinter sich, was er täglich zu tun hatte, mistete den Stall
aus, füllte Heu nach und striegelte mich, wobei er sein düs-
teres Schweigen nicht ein einziges Mal brach. Wie jedes
Pferd auf dem Hof wusste ich, dass wir in Gefahr waren.
Die Angst nagte an mir.

Ein unheilvoller Schatten hatte sich an diesem Morgen
auf den Hof gesenkt und keiner von uns schaffte es, in seiner Box ruhig zu bleiben. Als wir zum Bewegen hinausgeführt wurden, waren wir nervös und scheu. Albert reagierte
wie die anderen Soldaten mit Ungeduld und riss heftig an
meinem Halfter, was ich bei ihm noch nie erlebt hatte.

Am Abend steckten die Männer wieder die Köpfe zusammen, doch jetzt war Sergeant Thunder dabei und sie alle hatten sich draußen auf dem Hof versammelt, wo es allmählich dunkel wurde. Im letzten Abendlicht konnte ich noch das Glitzern von Geldstücken in ihren Händen erkennen. Sergeant Thunder hatte eine kleine Blechdose mitgebracht, und während sie von Hand zu Hand ging, hörte ich Münzen klimpern, die hineingeworfen wurden. Der Regen hatte jetzt aufgehört und es war ein ruhiger Abend, so dass Sergeant Thunders leise, knurrende Stimme an meine Ohren drang. »Das ist alles, was wir tun können, Jungs«, sagte er. »Nicht viel, aber wir haben's ja auch nicht so üppig. In dieser Armee ist noch keiner reich geworden. Wie gesagt, ich übernehm das mit dem Bieten – das ist zwar gegen die Vorschriften, aber ich mach's trotzdem. Versprechen kann ich natürlich nichts.« Er hielt inne und warf einen Blick über die Schulter, ehe er fortfuhr. »Ich darf euch das eigentlich gar nicht sagen – Anweisung vom Major –, und versteht mich recht, ich bin keiner, der den Befehl eines Offiziers verweigert. Aber wir sind nicht mehr im Krieg und außerdem war dieser Befehl eher wie 'n Ratschlag, sozusagen. Also erzähl ich euch das, weil ich nicht will, dass ihr schlecht vom Major denkt. Er weiß genau, was los ist. Tatsache ist, dass diese ganze Sache eigentlich seine Idee war. Er war's, der mir gesagt hat, dass ich euch diesen Vorschlag machen soll. Außerdem, Jungs, hat er uns jeden Penny von seinem Sold gegeben, den er zurückgelegt hat – jeden Penny. Es ist nicht viel, aber es hilft. 'türlich muss ich euch nicht erst sagen, dass keiner ein Wort verrät, nicht einen Mucks. Wenn das rauskommt, dann fliegt er hochkant raus, wie wir alle. Also, ihr schwört bei eurer Großmutter, klar?«

»Reicht das, was Sie haben, Sarge?«

Ich hörte, dass es Albert war, der da sprach.

»Ich hoffe doch, Junge«, sagte Sergeant Thunder und schüttelte die Dose. »Ich hoffe. Und jetzt holen wir uns alle 'ne Mütze Schlaf. Morgen früh will ich euch Faulenzer alle wieder munter sehen und die 'ferde zum Donnerwetter noch mal in bestem Zustand. Das ist das Letzte, was wir für sie tun können, das Mindeste, mein ich.«

Dann zerstreute sich die Gruppe, die Männer gingen zu zweit oder zu dritt davon, die Schultern gegen die Kälte eingezogen, die Hände tief in den Taschen ihrer Feldmäntel. Nur ein Mann blieb allein im Hof stehen. Er verharrte einen Moment lang und blickte zum Himmel, dann kam er herüber zu meinem Stall. Ich konnte an seiner Art zu gehen erkennen, dass es Albert war – es war der wiegende Gang eines Bauern, bei dem sich die Knie nach einem Schritt nie ganz strecken. Er schob seine Schirmmütze in den Nacken, als er sich über die Boxentür lehnte. »Ich hab getan, was ich konnte, Joey«, sagte er. »Das haben wir alle. Mehr kann ich dir nicht sagen, weil ich weiß, dass du jedes Wort verstehst, und dann würdest du nur krank werden vor Sorgen. Diesmal, Joey, kann ich dir nicht mal was versprechen, wie damals, als Vater dich an die Armee verkauft hat. Ich kann kein Versprechen geben, weil ich nicht weiß, ob ich es halten kann. Ich hab den alten Thunder um Hilfe gebeten und er hat geholfen. Ich hab den Major um Hilfe gebeten und er hat geholfen. Und jetzt eben hab ich zu Gott gebetet, denn am Ende liegt alles in seiner Hand. Wir haben getan, was in unserer Macht steht, das ist sicher. Ich weiß noch, wie die alte Miss Wirtle früher in der Sonntagsschule mal gesagt hat: ›Wer sich selbst hilft, dem hilft Gott.‹ Ein gemeines altes Biest war sie, aber ihre Bibel hat sie gekannt. Gott schütze dich, Joey. Schlaf gut.« Er streckte seine geballte Faust aus und rieb mir die Schnauze und dann kraulte er mir beide Ohren, ehe er mich im dunklen Stall allein ließ. Es war das erste Mal, dass er wieder so zu mir geredet hatte, seit die Nachricht von Davids Tod gekommen war, und es wärmte mir das Herz, ihm einfach nur zuzuhören.

Der Tag brach hell über dem Glockenturm an und die Pappeln dahinter warfen lange, schmale Schatten über das frostglänzende Pflaster. Albert war mit seinen Kameraden auf den Beinen, noch bevor das Signal zum Wecken erklang, und während die ersten Käufer mit ihren Karren und Automobilen in den Hof fuhren, war ich bereits gefüttert und getränkt und so fest gestriegelt, dass mein Winterpelz rot schimmerte, als ich in die Morgensonne hinausgeführt wurde.

Die Käufer hatten sich in der Mitte des Hofs versammelt, und jene von uns, die gehen konnten, wurden in einem großen Kreis über den Hof geführt, ehe einer nach dem anderen vor den Auktionator und die Käufer gestellt wurde. Ich musste im Stall warten und sah zu, wie jedes

Pferd, das vor mir in den Hof trat, verkauft wurde. Offenbar sollte ich zum Schluss an die Reihe kommen. Dunkle Erinnerungen an eine andere Auktion tauchten vor mir auf und plötzlich brach ich in Fieberschweiß aus, aber ich zwang mich an Alberts beruhigende Worte von der vorigen Nacht zu denken und da hörte mein Herz auf zu rasen. So war ich ruhig und leichtfüßig, als Albert mich auf den Hof hinausbrachte. Ich hatte unerschütterliches Vertrauen zu ihm, während er mir sanft den Hals tätschelte und mir verstohlen ins Ohr flüsterte. Als Albert mit mir in einem engen Kreis herumging und mich schließlich vor einer Reihe roter, runzeliger Gesichter und gieriger Augen anhalten ließ, war deutlich zu sehen und zu hören, dass ich den Käufern gefiel. Dann bemerkte ich zwischen den mit schäbigen Mänteln und Hüten bekleideten Käufern die unbewegliche, hochgewachsene Gestalt von Sergeant Thunder, die sie alle überragte. Hinter ihm hatte die ganze Veterinäreinheit entlang der Mauer Aufstellung genommen und verfolgte unruhig das Geschehen. Die Versteigerung begann.

Ich war offensichtlich sehr begehrt, denn die Gebote folgten zügig aufeinander, aber während mein Preis stieg, sah ich immer mehr Kopfschütteln und bald schienen nur noch zwei Bieter übrig zu sein. Der eine war der alte Thunder selbst, er tippte sich beim Bieten mit dem Stock an den Rand seiner Mütze, als ob er salutierte; der andere war ein magerer, drahtiger kleiner Mann mit Wieselaugen, der ein Lächeln aufgesetzt hatte, das so entsetzlich gierig und boshaft war, dass ich ihn kaum anschauen konnte. Noch immer stieg der Preis. »Fünfundzwanzig, sechsundzwanzig. Siebenundzwanzig. Siebenundzwanzig sind geboten. Zu meiner Rechten. Siebenundzwanzig sind geboten. Wer bietet mehr? Siebenundzwanzig, damit ist der Sergeant aus dem Rennen. Weitere Gebote? Es ist ein schönes junges Tier, wie Sie sehen. Müsste um einiges mehr wert sein. Noch jemand, bitte?« Aber der Sergeant schüttelte den Kopf, senkte den Blick und fügte sich in seine Niederlage.

»O Gott, nein«, hörte ich Albert neben mir flüstern. »Du lieber Gott, nicht der. Das ist einer von denen, Joey. Er hat den ganzen Morgen über gekauft. Der alte Thunder sagt, er ist der Metzger von Cambrai. Bitte, Gott, nein.«

»Nun denn, wenn es keine weiteren Gebote gibt, verkaufe ich das Pferd an Monsieur Cirac aus Cambrai, für siebenundzwanzig englische Pfund. Wer bietet mehr? Dann also für siebenundzwanzig. Zum Ersten, zum Zweiten …«

»Achtundzwanzig«, ertönte eine Stimme unter den Käufern und ich sah einen weißhaarigen alten Mann, schwer auf einen Stock gestützt, durch die Menge langsam nach vorne schlurfen, bis er vor ihnen stand. »Ich biete achtundzwanzig von Ihren englischen Pfund«, sagte der alte Mann in stockendem Englisch. »Und ich warne Sie, Sir, ich werde so lange und so hoch bieten wie nötig«, sagte er, indem er sich an den Metzger von Cambrai wandte. »Ich rate Ihnen, versuchen Sie nicht, mich zu überbieten. Für dieses Pferd werde ich hundert englische Pfund zahlen, wenn es sein muss. Kein anderer außer mir bekommt dieses Pferd. Das ist das Pferd von meiner Emilie. Es steht ihr rechtmäßig zu.« Ehe er ihren Namen ausgesprochen hatte, war ich unsicher gewesen, ob meine Augen und Ohren mich nicht täuschten, denn der Mann war um viele Jahre gealtert, seit ich ihn das letzte Mal gesehen hatte, und seine Stimme klang dünner und schwächer, als ich sie in Erinnerung hatte. Aber jetzt war ich mir sicher. Es war tatsächlich Emilies Großvater, der da vor mir stand und den Mund in grimmiger Entschlossenheit verkniffen hatte, mit den Augen funkelte und jeden im Umkreis herausfordernd ansah, der es wagen könnte, ihn zu überbieten. Keiner sagte ein Wort. Der Metzger von Cambrai schüttelte den Kopf und wandte sich ab. Selbst dem Auktionator hatte es vor Verblüffung die Sprache verschlagen und es dauerte eine Weile, bis er mit dem Hammer auf den Tisch schlug und ich verkauft war.

Kapitel 21

Sergeant Thunder sah resigniert und niedergeschlagen aus, als er und Major Martin sich nach dem Verkauf mit Emilies Großvater unterhielten. Auf dem Hof waren jetzt keine Pferde mehr und die Käufer fuhren alle davon. Albert und seine Freunde standen um mich herum und tauschten bedauernde Worte und alle versuchten Albert zu trösten. »Du brauchst dir keine Sorgen zu machen, Albert«, sagte einer von ihnen. »Hätte am Ende noch schlimmer kommen können, stimmt's? Ich meine, mehr als die Hälfte unserer Pferde sind an die Metzger gegangen, das steht fest. Wenigstens wissen wir, dass Joey bei diesem alten Bauern in guten Händen ist.«

»Woher willst du das wissen?«, fragte Albert. »Woher weißt du, dass er ein Bauer ist?«

»Ich hab gehört, wie er es dem alten Thunder erzählt hat. Er hat einen Hof unten im Tal. Hat dem alten Thunder erzählt, dass Joey in seinem ganzen Leben nie wieder arbeiten muss. Ständig hat er von einem Mädchen namens

Emilie oder so gebrabbelt. Hab kaum die Hälfte von dem verstanden, was er gesagt hat.«

»Keine Ahnung, was ich von ihm halten soll«, meinte Albert. »Klingt vollkommen verrückt, was er da alles faselt. ›Es ist rechtmäßig Emilies Pferd‹ – wer immer sie auch ist, aber das hat er doch gesagt? Was zum Teufel meint er damit? Wenn Joey irgendwem rechtmäßig gehört, dann der Armee, und wenn er nicht der Armee gehört, dann mir.«

»Frag ihn am besten selbst, Albert«, sagte ein anderer. »Gleich hast du die Gelegenheit dazu. Er kommt mit dem Major und dem alten Thunder zu uns rüber.«

Albert hatte den Arm unter mein Kinn gelegt und die Hand ausgestreckt, um mich hinter dem Ohr zu kratzen, genau dort, wo ich es am liebsten hatte. Doch als der Major näher kam, zog er die Hand weg, stand stramm und salutierte zackig. »Mit Verlaub, Sir«, sagte er. »Ich möchte mich bedanken für das, was Sie getan haben, Sir. Ich weiß, was Sie getan haben, Sir, und ich weiß es zu schätzen. Nicht Ihre Schuld, dass wir es nicht ganz geschafft haben, aber trotzdem vielen Dank, Sir.«

»Ich weiß nicht, wovon er redet«, sagte Major Martin. »Wissen Sie das, Sergeant?«

»Keinen blassen Schimmer, Sir«, sagte Sergeant Thunder. »So sind sie halt, diese Bauernburschen, Sir. Weil sie mit Most statt mit Milch aufgezogen werden. Tatsächlich, Sir, das steigt denen zu Kopf, Sir. Wie soll's auch anders sein?«

»Verzeihung, Sir«, fuhr Albert fort, verwirrt von ihrem

heiteren Wortwechsel. »Ich möchte diesen Franzosen etwas fragen, Sir, weil er hergegangen ist und meinen Joey gekauft hat. Ich möchte ihn fragen, was das zu bedeuten hat, was er über diese Emilie oder wie sie heißt gesagt hat.«

»Das ist eine lange Geschichte«, sagte Major Martin und wandte sich an den Alten. »Vielleicht möchten Sie es ihm selbst erzählen, Monsieur? Das ist der junge Mann, über den wir gesprochen haben, Monsieur, der mit dem Pferd aufgewachsen ist und bis hierher nach Frankreich gekommen ist, nur um nach ihm zu suchen.«

Emilies Großvater stand da und blickte unter seinen buschigen weißen Augenbrauen hervor mit strengem Blick zu Albert auf, aber dann plötzlich entspannten sich seine Züge und er streckte die Hand aus und lächelte. Überrascht nahm Albert die Hand und schüttelte sie. »Nun, junger Mann. Wir haben viel miteinander gemein, wir beide. Ich bin Franzose und Sie sind ein Tommy. Gewiss, ich bin alt und Sie sind jung. Aber wir lieben beide dieses Pferd, nicht wahr? Und wie ich von dem Offizier hier höre, sind Sie bei sich zu Hause in England ein Bauer wie ich. Das ist das Beste, was man sein kann, und ich sage das mit der Weisheit der Jahre, die ich hinter mir habe. Was halten Sie auf Ihrem Hof?«

»Schafe, Sir, überwiegend. Ein paar Rinder und einige Schweine«, sagte Albert. »Und ein paar Gerstenäcker bewirtschaften wir auch noch.«

»Sie waren es also, der dieses Pferd zum Arbeitspferd ausgebildet hat?«, sagte der alte Mann. »Das haben Sie gut gemacht, mein Sohn, sehr gut. Ich kann die Frage schon in Ihren Augen sehen, ehe Sie sie stellen, also sage ich Ihnen gleich, woher ich das weiß. Wissen Sie, Ihr Pferd und ich sind alte Freunde. Er ist zu uns gekommen, hat bei uns gelebt – oh, das war vor langer Zeit, nicht lange nach Kriegsbeginn. Die Deutschen hatten ihn gefangen und ließen ihn den Sanitätskarren vom Lazarett zur Front und zurück ziehen. Bei ihm war ein anderes wunderbares Pferd, ein großer, glänzender Schwarzer, und die beiden haben dann auf unserem Hof gelebt, der nahe dem deutschen Feldlazarett lag. Meine kleine Enkelin, Emilie, hat sie versorgt und hat sie schließlich in ihr Herz geschlossen, als wären sie ihre eigene Familie. Ich war der Einzige aus der Familie, den sie noch hatte – der Krieg hatte ihr die anderen genommen. Die Pferde haben vielleicht ein Jahr bei uns gelebt, vielleicht weniger, vielleicht mehr – das spielt keine Rolle. Die Deutschen waren großzügig und haben uns die Pferde überlassen, als sie abgezogen sind, und so gehörten sie uns, mir und Emilie. Dann kamen sie eines Tages zurück, andere Deutsche, nicht so freundlich wie die anderen; sie brauchten Pferde für ihre Kanonen und nahmen unsere Pferde mit, als sie weiterzogen. Ich konnte nichts dagegen tun. Danach hat meine Emilie ihren Lebenswillen verloren. Sie war ohnehin ein krankes Kind, aber jetzt, da ihre Familie tot war und man ihr die neue Familie weggenommen hatte, gab es nichts mehr, wofür sie leben wollte. Letztes Jahr hat sie einfach ihre Kräfte verloren und ist gestorben. Sie war erst fünfzehn Jahre alt. Doch ehe sie starb, hat sie mir das Versprechen abgenommen, dass ich die Pferde irgendwie finden und mich um sie kümmern sollte. Ich war bei vielen Pferdemärkten, aber ich habe den anderen, den Schwarzen, nie gefunden. Jetzt endlich habe ich einen von ihnen gefunden und kann ihn mit nach Hause nehmen und ihn versorgen, wie ich es meiner Emilie versprochen habe.«

Er stützte sich mit beiden Händen noch schwerer auf den Stock. Er sprach langsam und wählte die Worte mit Bedacht. »Tommy«, fuhr er fort. »Sie sind ein Bauer, ein englischer Bauer, und Sie werden verstehen, dass ein Bauer, ob er nun Engländer ist oder Franzose – oder sogar ein Belgier –, nie etwas weggibt. Das kann er sich niemals leisten. Wir müssen leben, nicht wahr? Ihr Major und Ihr Sergeant haben mir gesagt, wie sehr Sie dieses Pferd lieben. Sie haben mir erzählt, wie sehr jeder einzelne dieser Männer sich bemüht hat dieses Pferd zu kaufen. Das ist sehr hochherzig. Meine Emilie hätte das sicher gemocht. Sie hätte es verstanden, sie hätte von mir verlangt, dass ich das jetzt tue. Ich bin ein alter Mann. Was könnte ich mit Emilies Pferd anfangen? Es kann nicht sein ganzes Leben lang auf einer Wiese stehen und fett werden und bald bin ich ohnehin zu alt, um mich darum zu kümmern. Und wenn ich mich richtig an ihn erinnere, und das tue ich, dann mag er die Arbeit, nicht wahr? Ich habe Ihnen – wie sagen Sie dazu – einen Vorschlag zu machen. Ich möchte Emilies Pferd an Sie verkaufen.«

»Verkaufen?«, sagte Albert. »Aber ich kann Ihnen nicht genug für ihn bezahlen. Das wissen Sie doch. Wir haben nur sechsundzwanzig Pfund gesammelt und Sie haben achtundzwanzig bezahlt. Wie soll ich es mir leisten können, Ihnen das Pferd abzukaufen?«

»Sie verstehen mich nicht, mein Freund«, sagte der alte Mann mit einem unterdrückten Kichern. »Sie verstehen überhaupt nichts. Ich werde Ihnen dieses Pferd für einen englischen Penny verkaufen und für ein feierliches Versprechen – dass Sie dieses Pferd immer so lieben werden wie Emilie und dass Sie bis zum Ende seiner Tage für ihn sorgen; und mehr noch, ich möchte, dass Sie allen von meiner Emilie erzählen und davon, wie sie sich um Ihren Joey und das große schwarze Pferd gekümmert hat, als sie bei uns lebten. Sehen Sie, mein Freund, ich möchte, dass Emilie in den Herzen der Menschen weiterlebt. Ich werde bald sterben, in ein paar Jahren, mehr werden es nicht sein; und dann wird sich keiner mehr an Emilie erinnern, so wie sie war. Von meiner Familie lebt keiner, der sich noch an sie erinnern könnte. Sie wird nur ein Name auf einem Grabstein sein, den keiner liest. Also möchte ich, dass Sie Ihren Freunden zu Hause von meiner Emilie erzählen. Denn sonst wird es sein, als ob sie nie gelebt hätte. Wollen Sie das für mich tun? Auf diese Weise wird sie ewig leben und das hätte ich gerne. Können wir uns darüber einigen?«

Albert blieb stumm, denn er war zu bewegt, um zu sprechen. Zum Zeichen des Einverständnisses streckte er einfach die Hand aus, aber der alte Mann achtete nicht darauf, sondern legte die Hände auf Alberts Schultern und küsste ihn auf beide Wangen. »Danke«, sagte er. Und dann wandte er sich um und schüttelte jedem Soldaten der Einheit die Hand. Am Ende humpelte er zurück und stellte sich vor mich hin. »Alles Gute, mein Freund«, sagte er und gab mir einen sachten Kuss auf die Nase. »Von Emilie«, fügte er hinzu, dann ging er davon. Er hatte nur ein paar Schritte zurückgelegt, als er plötzlich stehen blieb und sich umdrehte. Er fuchtelte mit seinem knorrigen Stock in der Luft herum und rief mit einem verschmitzten Lächeln: »Dann stimmt es also, was immer behauptet wird – es gibt nur eins, bei dem die Engländer besser sind als wir. Sie sind noch geiziger. Sie haben mir meinen englischen Penny nicht bezahlt, mein Freund.«

Sergeant Thunder nahm einen Penny aus der Blechdose und gab ihn Albert, der zu Emilies Großvater hinübereilte.

»Ich werde ihn wie einen Schatz bewahren«, sagte der alte Mann. »Ich werde ihn immer wie einen Schatz bewahren.«

Und so kehrte ich in jenem Jahr zur Weihnachtszeit nach Hause zurück und mein Albert ritt mit mir ins Dorf, wo wir von der Blaskapelle aus Hatherleigh und dem begeisterten Läuten der Kirchenglocken begrüßt wurden. Wir wurden empfangen wie siegreiche Helden, aber wir beide wussten, dass die wirklichen Helden nicht nach Hause zurückgekehrt waren, dass sie drüben in Frankreich lagen, zusammen mit Captain Nicholls, Topthorn, Friedrich, David und der kleinen Emilie.

Wie er gesagt hatte, heiratete mein Albert seine Maisie

Cobbledick. Aber ich glaube, sie hat sich nie richtig mit mir angefreundet, und um ehrlich zu sein, ich auch nicht mit ihr. Vielleicht waren wir beide aufeinander eifersüchtig. Ich kehrte zurück zu meiner Arbeit auf den Feldern, mit der lieben Zoey, die immer noch jung und unermüdlich schien; und Albert übernahm erneut den Hof und läutete wieder seine Tenorglocke. Im Lauf der Zeit sprach er häufig zu mir, über seinen alternden Vater, der jetzt fast so vernarrt in mich war wie in seine eigenen Enkel, über die Unwägbarkeiten des Wetters und der Märkte und natürlich über Maisie, deren Krustenbrot genauso gut schmeckte, wie er behauptet hatte. Aber auch wenn ich gerne mal eines von ihren süßen Teilchen probiert hätte, ich hab nie eins gegessen, denn offen gesagt hat sie mir nie davon angeboten.

Wem dieses Buch gefallen hat, der kann es unter
www.carlsen.de weiterempfehlen und einen Preis gewinnen!

Auf der Flucht nach Europa

Ortwin Ramadan
Der Schrei des Löwen
288 Seiten
Taschenbuch
ISBN 978-3-551-31291-4

Der 16-jährige Yoba und sein kleiner Bruder Chioke leben als Straßenkinder in Nigeria. Als Yoba einen Auftrag für den örtlichen Gangsterboss erledigt und plötzlich in den Besitz einer Tasche mit Geld gelangt, ist das ihre große Chance: Die Brüder fliehen und lösen bei einem Menschenschleuser ein Ticket nach Europa. Wie so viele andere wollen sie es auf eines der Flüchtlingsboote nach Sizilien schaffen. Doch der Weg dorthin ist lang und viel gefährlicher als gedacht.

www.carlsen.de